# El Yugo de Orión

**INFINITE III**

David Topí

# El Yugo de Orión

Un libro sobre el sistema de gestión de la humanidad en la Tierra y cómo hacemos para pasar de nivel evolutivo

**Nueva edición revisada y actualizada 2019**

Edición revisada y actualizada para Editorial Blurr, Febrero de 2019



ISBN: 978-84-120075-2-7
Depósito Legal: DL B 6753-2019

Hecho e impreso en España

A todos aquellos que están conmigo en cada momento, en cada actividad, en cada viaje. Invisibles al ojo humano, protegiéndome, guiándome y animándome. Porque hacen su trabajo como si tal cosa, para que yo pueda hacer el mío sin preocuparme. Gracias.

# Índice

# Prólogo

Este libro que tienes en tus manos no se suponía que iba a ser el siguiente que iba a escribir. De hecho, tengo más de cien páginas escritas de otro, cuya publicación he querido retrasar, porque tenía que comprender e investigar ciertos temas de ese nuevo libro. Antes que nada, necesitaba sentir que había sabido comprender y explicar ciertos aspectos complejos de nuestra existencia en los que personalmente estoy interesado. Resultó que, a medida que investigaba para completar esos puntos del otro libro, surgió tal cantidad de información y material que, al escribirlo, tomó forma por sí solo en esta obra que lees ahora.

Así que este es el tercer volumen de la serie *"Infinite"*, que inicié con *El poder de la intuición* y que siguió con la publicación de *El Yo Interior,* los dos libros anteriores en los que he ido plasmando todo aquello que personalmente he ido encontrando y aprendiendo en mi propio camino de crecimiento personal.

Dicen muchos refranes populares que sin esfuerzo no hay recompensa, o que nada que valga la pena se consigue sin que pongamos de nuestra parte tiempo, recursos, energía, atención, dedicación, etc. Esto, que en el mundo físico es más que cierto, lo es mucho más en el mundo no físico, espiritual, energético, de crecimiento personal. Porque los esfuerzos no están destinados a conseguir algo externo, sino a cambiarnos a nosotros mismos. En estos temas, los resultados solo se obtienen cuando uno se decide conscientemente a recorrer el arduo camino del despertar interior.

Los que seguís mi trabajo sabéis que estoy metido en muchos frentes. Pero no se trata de dispersión ni de que me interesen tantos temas que quiera abarcar un poco de todo. Lo que ocurre es que mi propia experiencia me ha hecho separar en tres grandes tramos el camino de crecimiento personal por el que tránsito, y, por consiguiente, en esa forma transmito y comparto lo que voy aprendiendo.

No podemos empezar a comprender cómo funciona este juego de la existencia en el que estamos involucrados si no entendemos cómo han manipulado el tablero de juego que usamos. Esto quiere decir que es necesario romper la visión actual promulgada por las estructuras sociales, económicas y educativas sobre cómo es la realidad de ahí fuera. Esta no tiene nada que ver con la realidad que nos venden los medios de comunicación, nuestros líderes políticos, los grupos que manejan los hilos. Los que ya habéis pasado esta fase y veis claramente la manipulación a la que nos han sometido estáis ya cansados de los artículos que sigo publicando acerca de las mentiras sobre la situación geopolítica del mundo, sobre la alimentación y la salud, sobre la manipulación de la historia, la economía, etc. Los que aún estáis en la fase de descubrir que nos han tomado el pelo, seguís pidiendo más información para poder romper esa visión actual y comprender mejor por qué pasan las cosas que pasan. Como decía un alumno tras uno de mis cursos: *"He salido cabreado con el mundo porque me he dado cuenta de cómo me han timado todos estos años"*.

Todos pasamos por esta primera fase del despertar interior. Descubrir que lo que creías que era real no lo es, que absolutamente todas las cosas que parecían de una forma son de otra, es un *shock* para algunos, y es un proceso natural y paulatino para otros. Pero, cuando se rompen ciertas estructuras, tienes dos opciones: cerrar los ojos y no querer ver nada más, volviendo tranquilamente al sueño ilusorio en el que todo es bonito, o tirar hacia delante y terminar de desmontar la visión que nos cuentan sobre lo que pasa en el planeta, en todos los niveles, para poder liberarnos de ese control y manipulación lo más rápidamente posible.

Pero la evolución personal, espiritual, no se termina cuando uno despierta a la realidad del mundo, sino que, en ese momento, no hace más que empezar, ya que es entonces cuando se te activan las ganas de conocer más, especialmente de conocerte a ti mismo, entre otras cosas porque descubres que tienes en algún lado un potencial latente impresionante a la espera de ser activado. Descubres que hay una parte de ti, que algunos llamamos el Yo Superior, que te sirve de guía y de brújula permanente; te das cuenta de que la meditación es una maravilla y no entiendes cómo no la enseñan en la escuela desde primaria; ves que tienes un montón de posibilidades de trabajar con entidades que llamamos guías; descubres que tus lecciones de vida se pueden aprender sin tener que sufrir con ellas y que tienes una misión que cumplir, escogida por ti mismo, para ver si echas un cable al planeta, para reorientarnos un poco y sacarnos del pozo energético en el que estamos metidos.

Y todo esto en paralelo con lo anterior. Yo no dejo nunca de investigar y aprender cómo funciona el mundo real en el que vivo; de tratar de desmontar las mentiras de las estructuras que me han impuesto y que, por ignorancia, he aceptado, por lo que además tengo que admitir parte de mi responsabilidad de que el mundo esté como está. Como todo esto forma parte de mi trabajo personal, sigo rompiendo mi propia visión de las cosas externas, buscando entender la realidad de la forma más objetiva posible, mientras continúo trabajando en mi autoconocimiento y despertar interior y adquiriendo cada vez más herramientas.

Así, cuando tienes más o menos ubicada la realidad de esta tercera dimensión, cuando no te dejas manipular tan fácilmente por elementos físicos y no físicos, cuando has superado una serie de ataques del sistema por querer desconectarte del mismo (y hacer que otros también lo logren), entonces llega, al menos en mi caso, la sed de conocimiento cosmológico: de entender el universo, la Creación, los niveles evolutivos, las polaridades, el resto de los seres, la conciencia, las energías, las formas evolutivas, etc. Ya no te conformas con fuentes de bajo nivel para que te expliquen las cosas, porque, además, tienes un pelín más desarrollada la intuición (de hecho, poco a poco, se activa lo que esotéricamente se conoce como el centro intelectual superior, que es capaz de discernir energéticamente cosas que son verdad de lo que no lo son, y eso te hace "intuir" rápidamente si algo es correcto o es desinformación, o si las cosas están mezcladas y hay que separar la paja del trigo). Lo único malo de esta etapa (que sigue en paralelo con las dos anteriores, porque, ya metidos en el tema, no se puede trabajar solo en una dirección) es que ya no hay vuelta atrás. Es decir que, cuando te pones a ver si eres capaz de entender conceptos metafísicos, esotéricos, místicos, espirituales, etc., no tienes otra cosa en la cabeza hasta que no vas atando cabos y uniendo las piezas del Tetris que conforma la suma del juego físico y del juego no físico de tu existencia.

En realidad todo este proceso es bastante divertido, a pesar de que pasas por épocas de bajón mental, anímico, energético, etc. Cuando estás en la primera fase, hay momentos en que, si se desmontan muchas cosas de golpe, uno se queda bastante tocado y cuesta rehacer la visión de la vida con la nueva información adquirida, lo que no es más que aceptar que uno de los múltiples filtros y velos que teníamos en los ojos se ha caído para siempre. Mientras trabajas en ti en la segunda fase, hay momentos en los cuales energéticamente estás por los suelos, sobre todo si vas sanando heridas del pasado, traumas, bloqueos autogenerados, cosas que arrastras de otras encarnaciones, etc. Si tienes que estar pendiente de ataques psíquicos o energéticos, hay días que lo pasas mal. Pero, como dice el refrán, *"lo que no te mata te hace más fuerte"* (o algo así), por lo que todo forma parte del mismo proceso de crecimiento. Al mismo tiempo, sigues en la tercera fase, y hay días que no hay forma de dormir, porque estás rompiéndote los cuernos, tratando de entender mentalmente el concepto X o el concepto Y: que si el tiempo no existe, que si todo es simultáneo, que si el alma esto, que si las dimensiones paralelas, que si lo otro. Afortunadamente la brújula interna que representa la conexión con el Yo Superior está siempre ahí para echar un cable, y entonces se te enciende la luz, te llega mentalmente la explicación de las cosas, te levantas a las dos de la mañana, lo anotas todo, haces un esquema y te vas a dormir.

Más o menos todo este proceso está contenido en este libro, que es diferente a casi todo lo que he escrito anteriormente, ya que trata de ser una explicación al enorme rompecabezas que es la vida en nuestro planeta, aunando la parte más espiritual de la misma con la parte más física, terrenal, y de pura actualidad. Lo que he querido es comprender qué hago yo aquí en este mundo, en el que sé que estoy de paso, en una escuela, en pos de un aprendizaje y un crecimiento, y para ello necesitaba enlazar todas las facetas y áreas de la vida de las que me veo rodeado a diario.

He tratado de reflejar la realidad de este momento que estamos viviendo, el control de la sociedad por un grupo de personas con carácter psicopático, que buscan su propio beneficio, mientras suceden cambios en el planeta que lo están poniendo literalmente patas arriba: la interacción con ciertas energías llegadas de los confines del universo; los cambios físicos que se están produciendo, y el posible, y probable, salto de nivel evolutivo en los próximos años para algunas personas.

Me daba cuenta de que todo eso debía tener sentido y tenía que estar conectado de alguna forma, tenía que haber datos que pudiera verificar y usar para atar cabos y tenía que poner en su sitio todos los temas que, a lo largo de estos años, han aparecido en mi vida. Todo, para llegar a entender que vivimos en un mundo totalmente bajo el control de un grupo de entidades de un nivel evolutivo que no percibimos, cuyas marionetas han implementado un sistema de control en el planeta que nos asfixia cada vez más, porque simplemente somos recursos baratos, prescindibles, y por supuesto, alimento energético.

Pero de todo eso hablaremos largo y tendido en las próximas páginas.

David Topí

# Introducción

Cuando la película *The Matrix* se estrenó en el año 1999 y dio a conocer un escenario según el cual todos nosotros viviríamos en una proyección holográfica creada para mantener un sistema de control sobre las personas, simples pilas de energía para un mundo dominado por máquinas, solo unos cuantos se pararon a pensar que aquello podía ser algo más que una buena trilogía de Hollywood.

Pero, poco a poco, con el paso de los años, gracias a las publicaciones, experiencias e investigaciones de muchos de los que están en esa *Matrix*, la cosa realmente pinta de otra forma.

Estadísticamente, por pura matemática, en un mundo normal, gobernado por el libre albedrío de sus habitantes, los sucesos, acciones, situaciones o experiencias que suceden y se manifiestan a nivel global deberían comprender aproximadamente un cincuenta por ciento de eventos positivos y un cincuenta por ciento de eventos negativos. Si partiéramos del supuesto de que las personas tendemos a generar y a trabajar para originar elementos positivos en nuestras vidas, que indudablemente tendrían algún tipo de repercusión a nivel global, podríamos vivir en un planeta en el cual el setenta u ochenta por ciento de las cosas que sucedieran podrían etiquetarse como "buenas". Sin embargo, creo que estamos de acuerdo en que ocurre más bien todo lo contrario.

Según el científico suizo Jean-Jacques Babel, en los últimos cinco mil seiscientos años la humanidad ha luchado en catorce mil quinientas guerras, y ha habido tres mil quinientos millones de muertos en ellas (casi la mitad de la población actual). A principios de los años noventa, había cincuenta y dos guerras y conflictos en el planeta, con ciento cuatro ideologías distintas oponiéndose las unas a las otras.

Una de las razones de esta situación es sutilmente deducible: en algún nivel, nuestra realidad y esos sucesos parecen estar manipulados para que provoquen exactamente lo contrario de lo que de forma natural, a priori, sucedería. Quedan incluidas las teorías de que la maldad es inherente al ser humano, que es posible, que somos una raza que tiende al caos, a la autodestrucción, al conflicto. Esto es correcto, principalmente ya que estamos polarizados de esa manera, y porque es parte de nuestra naturaleza, o eso creemos. Pero yo no conozco a nadie a quien no le guste ser feliz y vivir libre de problemas o, por lo menos, libre de problemas de una escala tan enorme que no pueda solucionar de ninguna manera. A esos niveles, no se entiende la situación del planeta si no es a través de alguna forma de distorsión y manipulación, consciente o inconsciente, de la deriva de la humanidad, con o sin un fin concreto.

El problema es que, cuando uno se pregunta de dónde viene esta hipotética manipulación, en términos macro sociales, macro económicos y macro energéticos, cuando empiezas a indagar, excavar, sortear y digerir información, a separar cada pequeño trozo de verdad de miles de trozos de desinformación o información contradictoria, desembocas inexorablemente en teorías, hipótesis y supuestos sobre conspiraciones, grupos de manipulación secretos (y no tan secretos), niveles de conciencia superiores, otras dimensiones, entidades de otro tipo y otros planos frecuenciales, etc. Y claro, aquí es decisión de cada uno dónde poner el límite de lo que se quiere o se es capaz de creer.

La disparidad entre lo que las personas en general percibimos como real y las verdaderas dimensiones de esa realidad es increíble. Es tan increíble que muchos bloqueos mentales, innatos en las personas, se activan cuando son expuestas a este tipo de información y, sencillamente, se mira para otro lado, porque se siente que no se puede hacer nada cuando la estructura de nuestra realidad, tal y como creíamos que era, se ve amenazada y de repente se desmorona. Ya que nada es realmente como pensábamos que era.

Básicamente la población humana ha sido guiada ciegamente por un sinfín de falsos caminos, y manipulada según ciertos intereses y agendas, muchas veces contradictorios, entre varios grupos, que han provocado todo tipo de acontecimientos con nefastas consecuencias para el grupo teóricamente más frágil: la masa general de la población.

La información está tan compartimentada, y ha sido tan manipulada y escondida, que lo que uno cree que sabe no es sino una fracción de lo que saben aquellos que se encuentran en un escalón superior en los círculos y estructuras de poder del planeta. De hecho, la investigadora, historiadora y escritora Laura Knight escribió una vez que lo que una persona normal sabe al salir tan ricamente con su título universitario bajo el brazo no es sino un 0,02 por ciento de lo que en realidad saben aquellos que están en las posiciones de poder más altas en este planeta, los que controlan el juego en el que estamos metidos.

Si ya nos cuesta aceptar que un grupo de políticos se reúna para crear una guerra por motivos económicos o geopolíticos, ¿cómo no nos vamos a resistir a aceptar que hay entidades de otros lugares que nos tratan como elementos prescindibles, sujetos para experimentar, peones en un tablero que manejan a su antojo e incluso como *comida*?

Parte de este proceso de supresión de la información está diseñado para mantener estas estructuras de poder sobre las que hablaremos más adelante, para negar la existencia de niveles fuera de aquellos perceptibles por el humano medio, especialmente en lo que concierne a la interacción y sumisión a otras razas *off-planet* durante milenios.

Abrirse a estos otros niveles de realidad no está al alcance de todo el mundo. Es más, no todo el mundo quiere ni debe hacerlo. Ya se encargará nuestro destino, dependiendo de los planes evolutivos para nuestra encarnación, de acercarnos a la información, abrirnos la puerta a ciertas realidades o cerrar el candado a cal y canto para que no nos enteremos de todo esto y evitar así que suponga un problema en algún sentido.

Lo que es más importante aún es que quien quiera o necesite darse cuenta ya lo hará y quien quiera mantener los ojos cerrados tiene todo el derecho de hacerlo. Si de los siete mil quinientos millones de personas, una gran mayoría no tienen más interés que el de disfrutar de la realidad material y física en la que se encuentran ¿pensáis que los niveles superiores de esta estructura de poder tienen muchas dificultades para mantener a la gran masa de la humanidad bajo control?

Aquellos que son conscientes de que todo esto parece más un circo que otra cosa siguen creciendo en número, y se empieza a hacer mucho ruido para hacerles notar a los de arriba que los de abajo se empiezan a cansar de tanta manipulación. Pero difícilmente podrá el sistema actual derrumbarse mientras no se produzca un cambio de paradigma y situación total. Para conseguirlo, es necesario que los que estamos aquí consigamos enderezar, cambiar o atenuar los sucesos que nos esperan. Para ello hemos de seguir en la senda por la que estamos transitando en estos momentos.

En la película, Morfeo le dice a Neo que *Matrix* es "*el mundo que fue plantado ante sus ojos para esconderle la verdad [...] y mientras exista* Matrix*, la humanidad no puede ser libre*".

Pues bien, quizá va siendo hora de empezar a desmontarla.

# Primera parte: el sistema de vida en la Tierra

# Un sueño para ser libre

Hace tiempo que vengo practicando diferentes técnicas de meditación que he aprendido a lo largo de los años, y uno de los ejercicios que más me gustan sirve básicamente para encontrar respuestas a problemas o preguntas; respuestas que en un estado normal de conciencia no se alcanzan, pues requieren conectar con el subconsciente, el inconsciente colectivo o el propio Yo Superior.

En una de las sesiones de práctica, puesto que no se me ocurría ningún problema específico que plantear, decidí preguntar de forma general cuál era la información más importante que necesitaba conocer en ese momento.

Durante la sesión no sucedió nada en particular, pero unas pocas horas después, al irme a dormir, tuve un sueño lúcido particularmente vivo.

En ese sueño me encontraba con otras dos personas muy cercanas a mí en una especie de base subterránea extremadamente grande, una especie de macro gimnasio con cientos de kilómetros de largo, lleno de diferentes espacios pero sin separaciones entre ellos. Había millones de personas haciendo ejercicio vigorosamente, trabajando duro y sudando a raudales.

Nadie estaba especialmente contento con esa actividad, porque percibían que eran controlados por unas pocas personas (que no pude ver, pero que pude notar). Las personas que hacían deporte (pues estábamos en un gimnasio) de cuando en cuando cogían una botella vacía que tenían cerca, la llenaban con su energía y se la pasaban a los *controladores*.

Todo lo que veía en el sueño era blanco puro, ultra limpio, y recuerdo que me sorprendía mucho no ver ninguna especie de barrera o separación entre las diferentes zonas (por ejemplo, entre aquellos que usaban bicicletas estáticas y los que levantaban pesas en la sección de al lado). Y sabía que todo era falso. Éramos esclavos, nos explotaban para extraernos la energía. Alguien me dijo en el sueño que era muy difícil sobrellevar ese conocimiento, y que era mejor que me hiciera a la idea de que no iba a ser fácil transmitir algo así, si es que deseaba hacerlo.

Mis amigos y yo no hacíamos ningún deporte, sino que tratábamos de encontrar una forma de escapar de aquello. Nos escondíamos y pasábamos de una zona a otra procurando no ser vistos por los controladores. Encontramos unas enormes escaleras que ascendían. De nuevo, todo era blanco, totalmente pulido, limpio, radiante. Nadie controlaba esa salida, como si no fuera necesario. Es decir, se podía salir, nada lo impedía.

Así que empecé a correr, empujé a mis amigos y fuimos hacia la escalera. Pero, de repente, una de las personas que me acompañaba quiso cambiarse de ropa (cosas que pasan en los sueños) para estar más cómoda. Mientras nos acercábamos a las escaleras, vimos una salita de televisión con dos baños, claramente marcados para hombres y mujeres. Decenas de personas miraban la televisión, mientras hacían una pausa para descansar del deporte.

Entonces entendí que esa era la razón por la que nadie escapaba: la televisión los mantenía a todos en un nivel de conciencia en el cual ni siquiera se daban cuenta de que existía la posibilidad de correr para salir de allí. También me di cuenta de que los baños tan claramente señalados servían para hacernos creer que estábamos separados los unos de los otros.

Lo bueno era que se podía salir de allí. Lo malo era que nadie lo sabía. Entonces desperté y me puse rápidamente a escribir lo que había soñado para no perder detalle.

## Mi interpretación personal

Cuando comenté el sueño con las dos personas que salían en él, ambas lo interpretaron de manera similar, lo cual me hizo pensar que quizá no fuera tan difícil transmitir el mensaje que implicaba (y que yo al menos, al despertar, tuve muy claro):

- La gran mayoría de los humanos vivimos como borregos sin saberlo, obedeciendo órdenes sutiles, que casi no parecen órdenes, de unos pocos *controladores*: empresas, gobiernos, bancos, etc. Nadie te apunta con una pistola y te obliga a hacer nada, sino que se hace con leyes, obligaciones, a veces disfrazadas de derechos, que siempre se presentan como buenas y necesarias, y que a veces lo son, como parte del entendimiento que todos necesitamos para vivir juntos, pero que muchas veces restringen, obligan, controlan y limitan. Las dictan las élites dentro de las élites, organizadas de forma piramidal y/o circular. En lo más alto, solo unos pocos, muy pocos, tienen el control sobre todos los demás. Los niveles medios de la pirámide, que también creen que tienen cierto control, están a su vez manipulados por los de más arriba.

- Vivimos sumidos en un mundo en el cual se nos mantiene *atontados* para que no sea demasiado difícil controlarnos. Los medios para lograrlo son la televisión en primer lugar, pero también la pésima educación que se recibe por los canales oficiales, la publicidad, el consumismo masivo, las largas horas de trabajo para ganarnos el pan, etc.

- Se nos mantiene en un estado de miedo y preocupación constante: atentados preparados por los mismos que proponen las soluciones para evitarlos, pandemias y enfermedades creadas en laboratorios y esparcidas por el planeta, guerras y conflictos en los cuales ambos bandos están financiados y manipulados por las mismas personas. Siempre, además, desde una perspectiva que nos hace sentir impotentes, sin poder para solucionar nada, ya que se nos induce a creer que no tenemos ningún control sobre esos problemas y debemos confiar en nuestros dirigentes para que tomen las medidas necesarias.

- Se nos hace creer que estamos divididos, que somos enemigos unos de otros, que la derecha radical se opone a la izquierda radical, cuando los que han creado ambos sistemas son los mismos grupos que mueven los hilos y financian ambas partes. Se hace énfasis en la separación de la gente. Se invierte en energía y recursos en todo aquello que divida a las personas, y nunca en lo que nos une.

- Se nos explota económicamente, a través de todo tipo de artimañas. Se crean mentiras a escalas planetarias para crear impuestos y subir tasas. Se crean crisis económicas para que la gente no tenga otra preocupación más que su hipoteca, su trabajo y sus pocas posesiones.

- Se crean todas esas distracciones, y muchas más, para que no prestemos atención a otras cosas también muy importantes, sobre las cuales esas élites no tienen control: los cambios en el planeta.

- Nos fomentan que busquemos la solución a todo fuera, que nos mantengamos separados lo máximo posible de lo que llevamos dentro, que no es nada más ni nada menos que el poder de ser lo que queramos, cuando queramos y como queramos. Ese poder nos llevaría directamente a la felicidad, y destruiría por completo el control que ejercen sobre nosotros aquellos que nos manipulan. Donde hay consciencia, no existe forma de control que pueda con ella.

El problema es que no sabemos nada de esto último o, más bien, que le ponemos etiquetas a este conocimiento, como movimiento *"nueva era"* o *"despertar humano"*, etc., como si fuera algo nuevo, recién descubierto o recién instaurado. Pero este potencial siempre ha estado ahí, no es nuevo, aunque ser consciente de él para poder desconectar del todo de la *Matrix* requiere conocer muchas cosas sobre el sistema de vida en nuestro planeta.

No sé si pensáis lo mismo que yo, o si por lo menos tenéis la sospecha de que algo realmente no va bien y que estas cosas que os cuento pueden, quizá pueden, que sean reales. No todo el mundo tiene esa sensación, y no todos los que la tienen creen que realmente sea así porque así está diseñado. Pero la cuestión es que hay algo que no cuadra en el mundo en el que vivimos, y solo cuando nos detenemos a pensar en ello nos damos cuenta de que, al menos, hay que tratar de entenderlo para saber cómo hemos llegado a esta situación y ver si se puede hacer algo para cambiarla. Así que, sea o no cierto que todo lo anterior está causado por una cierta manipulación de los eventos y los habitantes del planeta, la pregunta es sin duda la misma: ¿por qué?

¿Por qué tanto empeño, tantas artimañas, tantas mentiras, tanta desinformación, tanta ocultación de sucesos, tantas manipulaciones y tanto trabajo para controlar el barco en el que viajamos? ¿Cómo se han creado todas esas estructuras, distracciones y sistemas? ¿Para qué? La respuesta tiene pinta de ir en la dirección de que de esta forma no prestamos atención a otras cosas también muy importantes, que iremos viendo a lo largo del libro. Pero no nos adelantemos.

# La vida como un juego muy sofisticado

¿Cómo hemos llegado a esta situación en la cual, cuando no es una guerra, tenemos una crisis económica, una pandemia mundial u otros eventos por el estilo que absolutamente ninguno de nosotros ha deseado o planeado, y cuya causa, preguntes a quien preguntes, está siempre en la otra punta del globo? ¿Cuál es el origen de todo esto? ¿Cómo es posible que un diez por ciento, a lo sumo, de la población, controle el noventa por ciento de los recursos del planeta? La respuesta a estas preguntas es tan compleja que podríamos llenar volúmenes tratando de abarcar todo el espectro de información que nos ayude a entender el camino recorrido hasta encontrarnos con este mundo que vemos ante nuestros ojos (si queremos) cada mañana.

Así que empecemos por lo básico. La vida es como un juego muy sofisticado, tremendamente complejo, con millones de componentes, piezas y accesorios. Y si no lo comprendemos mínimamente, no hay forma de aprender a jugar con las reglas impuestas por los que sí lo comprenden (y lo gestionan).

## Los jugadores

En el sueño que tuve los seres humanos estábamos sudando la gota gorda para proveer de energía a una serie de controladores. ¿Por qué nosotros? ¿Quiénes somos que tenemos el dudoso beneficio de ser algo así como un "generador eléctrico" para algo que no vemos, pero que parece que está ahí sin poder hacer nada para evitarlo?

Somos seres humanos. ¿Pero qué somos los seres humanos? La forma más simple de expresarlo sería decir que somos un complejo multidimensional, que tiene diferentes "componentes" que hacen que el conjunto del ser humano pueda tener una parte en planos y niveles evolutivos fuera del plano físico, y otras partes "encarnadas" y en diferentes niveles de existencia.

La parte más esencial de aquello que somos, que podemos llamar el núcleo, partícula divina o mónada, es lo que define nuestro origen, y que solemos denominar como la conexión con el TODO, la FUENTE, el Absoluto, etc. Representa a la energía consciente de la Creación, y "enlace" con la estructura de todo ser consciente dentro de la misma a través de vórtices y conexiones energéticas en todos y cada uno de nosotros, dotando a la estructura gestionada por el Yo Superior de la posibilidad de usar diferentes componentes, capas y cuerpos, tales como el sistema energético, el alma y el espíritu como vehículos intermedios de enlace, dentro de un cuerpo orgánico, físico, en simbiosis perfecta.

Así que, inicialmente, podríamos decir que poseemos una partícula de energía consciente que ha nacido de la FUENTE, que forma parte de un conjunto mayor al cual pertenecemos, y este conjunto está regido por la parte que llamamos el *ser* o el *Yo Superior.* Esta parte del ser humano es la que enlaza o encarna en diferentes cuerpos, vidas y encarnaciones, para experimentar, aprender y crecer.

Por otro lado, hablamos de que el ser que somos, a nivel de nuestro Yo Superior, necesita crecer y recoger experiencias, aunque necesitar no es un verbo correcto. No se necesita nada. Pero se desea experimentar, se desea conocer y se desea crecer. Es una fuerza innata en toda la Creación y presente en todos nosotros el avanzar hacia algo superior. Así que, para experimentar y conocer la Creación, el Yo Superior se proyecta en tantas "existencias" como considere necesario, en tantos planos de la Creación como su curiosidad y potencial actual le permita, usando diferentes capas y estructuras para poder interactuar con los diferentes planos y niveles del planeta donde nos encontramos. Para todo, usa múltiples componentes que veremos más claro con el esquema siguiente:

La esencia, mónada, partícula divina. Es el campo de la FUENTE y de la Creación, la energía del "Todo". Se encuentra en su propia dimensión, pero puede ser "atraída" hacia el plano físico, y "contactada". Tiene una vibración altísima, un poder y una voluntad propia. Es la energía de la Fuente y forma parte de un macro campo unificado de consciencia.

Yo Superior

El Yo Superior o ser es la parte del conjunto del ser humano a través del cual la "Fuente" experimenta y manifiesta la encarnación que somos. Existe "fuera" de los planos físicos, en los niveles adimensionales superiores de existencia de la estructura de la Creación. Realiza funciones de coordinación, guía y repositorio de información de todas las "vidas" en las que nuestra alma está "encarnada".

Espíritu y Cuerpos superiores

El espíritu y el alma son dos cuerpos de enlace entre el YS, y el plano físico. Permiten la reducción de la vibración y gestión del cuerpo orgánico para el ser que somos. Todo ser vivo tiene alma, no todo el mundo tiene espíritu, pues este se manifiesta y desarrolla con el crecimiento del ser humano. Los cuerpos superiores (emocional, mental y espiritual superior) también se desarrollan a medida que la persona crece y evoluciona.

Cuerpos inferiores: causal, mental, emocional, etérico

Cuerpo físico

Todo ser humano posee cuerpos básicos: el causal, mental, el emocional y el etérico, en grados diferentes de desarrollo. El YS está conectado a todos los cuerpos mediante el cordón de plata, así como el llamado también hilo dorado o cordón de fuego.

El cuerpo físico es el último medio de expresión en nuestra realidad, el más denso de todos los que componen aquello que somos.

De esta manera, con esta estructura, "aquello que somos" puede obtener los componentes que nos permiten tener y disfrutar de cada existencia terrenal, trabajando en todos los planos del planeta donde encarnamos, y poseyendo todos los recursos necesarios para ello.

## Función y posición del Yo Superior

Volvamos entonces a la parte nuestra más "elevada" y que gestiona todo el conjunto que acabamos de explicar. Como veremos luego, toda la estructura de la Creación está dividida en niveles evolutivos; hay quien los llama dimensiones, densidades, planos frecuenciales, bandas de energía, etc.

Estos niveles evolutivos están ordenados y creados por "octavas", grupos de siete niveles. Nosotros, el compendio "físico", emocional, mental, espiritual, etc., con el que nos identificamos cuando hablamos de un ser humano, existimos en estos momentos principalmente en las primeras tres bandas o planos de la estructura que tiene nuestro planeta (nos movemos entre el plano físico y el plano mental, siendo, el plano causal, la parte alta del mencionado plano mental).

Nuestro Yo Superior se sitúa fuera de estos planos, de hecho es adimensional, es decir, que dentro de la estructura evolutiva de la Creación, se podría situar en una de las bandas más altas, frecuencialmente hablando, de la misma, pero sin dimensiones espacio-temporales como las que forman parte de la estructura de nuestra realidad que lo definan, desde donde se puede monitorizar a todas las partes encarnadas en cualquier sitio.

¿Cuál es entonces la función de este Yo Superior hacia la personalidad y el alma? La de "coordinación" y "supervisión", en todos los sentidos, pero sin ninguna intromisión en el libre albedrío de lo que podríamos llamar "su parte encarnada en el plano físico", es decir, nosotros, la personalidad que ahora está leyendo esto. Para nosotros, y en lo que dura toda nuestra encarnación, el Yo Superior no es sino la parte de uno mismo que se mantiene "estáticamente" en un plano superior, desde el cual puede supervisar y ayudarnos a lo largo de todo nuestro periplo evolutivo.

## Alma, espíritu, mónada

En los párrafos anteriores hemos hecho mención a la mónada, como una parte de la Fuente que nos conecta a todos nosotros con la "Creación", y al Yo Superior, quien puede proyectarse hacia el plano físico para tener una existencia como ser humano a través de una serie de componentes y estructuras energéticas. Sobre estos vehículos intermedios, una cosa muy importante que tenemos que entender son las funciones que poseen y cuál es su rol para el buen funcionamiento del conjunto.

Al igual que los mayas, los egipcios y otras culturas y líneas esotéricas, las enseñanzas pitagóricas distinguían la "esencia" -como la mónada o núcleo central de lo que somos, formando parte de la energía del Todo y de la Creación- del Yo Superior, de la personalidad, del alma, y del espíritu, como los trajes que nos permiten interactuar con el cuerpo físico. Es decir, el conocimiento de la estructura del ser humano es algo ancestral que se pierde en las raíces del origen de nuestra especie.

## Alma como enlace entre el Yo Superior y la personalidad y la estructura de cuerpos sutiles

En la composición que forma lo que llamamos ser humano, el *alma* es un cuerpo de enlace autoconsciente entre el Yo Superior y la personalidad, es decir, que aquello con lo que nos solemos identificar cuando hablamos del periodo "entre vidas" es un cuerpo energético que nos dota de la consciencia para poder dirigir y gestionar un cuerpo físico y material, guiados y apoyados por el nivel del ser o Yo Superior.

Así, el alma controla todos los cuerpos inferiores, los dirige, los envuelve, y es la parte del ser humano que, entre encarnaciones, nos da continuidad de existencia mientras permanecemos como parte del entramado de la vida en el planeta Tierra.

El sistema energético que debería ser gestionado por el alma contiene la parte de personalidad, la estructura y funciones energéticas, el carácter, comportamiento y características como personas que tenemos, y está formado por la suma o envoltorio de los cuerpos energéticos inferiores (causal, mental, emocional y etérico), constituida por la materia de los planos de los mismos nombres. Así, los cuerpos inferiores se consideran envolturas que el alma y el Yo Superior utilizan como meros vehículos y que, colectivamente, componen lo que contiene nuestra personalidad y estructura energética básica.

## Cuerpos superiores

Por otro lado, como habéis visto en el esquema, hemos dicho que existen cuerpos superiores pero que no forman parte del paquete que viene "de serie" en todos y cada uno de nosotros al nacer. Están formados por materia de los planos superiores (búdico, átmico, monádico, en algunas de las nomenclaturas más conocidas y son llamados el cuerpo emocional superior, el cuerpo intelectual superior y el cuerpo espiritual superior), aunque son inexistentes en la mayoría de personas. La razón de que no estén presentes es que estos cuerpos superiores se desarrollan a medida que uno va creciendo y evolucionando, así que hay personas que no tienen ninguno, (pocas) personas que sí los tienen, personas que solo poseen uno o está en formación, etc. Estas estructuras de orden superior se "ganan" y aparecen con el desarrollo evolutivo y espiritual de la persona y su grado de cristalización depende del trabajo interior realizado por esta. Por este motivo, todo el mundo tiene los cinco cuerpos básicos inferiores (desde el físico al causal) y casi nadie en el planeta tiene los cuerpos superiores, al menos en estos momentos de nuestra evolución como especie.

## El espíritu como enlace entre el YS y el alma

Finalmente, el "espíritu", que también hemos mencionado, es otro cuerpo, otro componente del ser humano que interactúa entre el Yo Superior y el alma, y, de nuevo, no todo el mundo lo tiene desarrollado y cristalizado, ya que, al igual que los cuerpos superiores, nace y se desarrolla según el nivel de crecimiento y evolución que tenga una persona.

Así, el alma y el espíritu son cuerpos energéticos conscientes, que sirven al Yo Superior, para poder encarnar en un cuerpo químico y orgánico como el que tenemos y usamos como avatar. El espíritu es un componente del ser humano que se gana y desarrolla por nivel evolutivo, a diferencia del alma que es un componente nacido por la propia evolución de la vida orgánica del vehículo físico que ocupamos.

Además, el alma individualizada es algo que existe solo a partir del reino humano, y hay una diferencia muy clara entre lo que es una conciencia, mente o alma grupal del reino mineral, del reino vegetal o del animal y un alma individual del ser humano. Para los primeros niveles debemos hablar de almas grupales, para nuestra tercera dimensión-nivel evolutivo podemos hablar de almas individuales, y, a partir de aquí, de la cristalización y creación de un espíritu como un cuerpo superior de conexión con el Yo Superior.

## Diferencia entre esencia, alma y espíritu

Así que, como hemos visto, es un problema de terminología el uso de las palabras *alma* y *espíritu* para describir dos de los conceptos más importantes del ser humano. En cierta literatura, se habla del *alma* como el principio divino, que procede de la Fuente, como la energía que "anima" el cuerpo.

En otra literatura, el uso de la palabra *espíritu* es para esa energía divina, y la palabra alma se usa para el componente del ser humano que procede de la evolución de las "clases" inferiores y que usa el alma como vehículo evolutivo, lo que también hemos visto.

Lo que hemos de entender es que podemos dividir al ser humano en grandes bloques: la partícula primordial de la Fuente (la esencia o mónada), el Yo Superior, el alma (como el cuerpo que nos permite la continuidad de consciencia entre encarnaciones), y la suma de los cuerpos etérico, emocional, mental y causal como componentes de la estructura inferior que poseemos, más el cuerpo físico o denso y, finalmente, el espíritu, como un cuerpo superior que se crea solo cuando el ser humano llega a un cierto nivel evolutivo.

Todas las personas tienen una personalidad y un alma porque todas tenemos los primeros cuerpos energéticos básicos, pero no todas tienen un espíritu "formado", y tampoco todos tenemos los cuerpos superiores del ser humano creados, manifestados o activados.

Por otro lado, el YS de cada uno es eterno y proviene de la Fuente, mientras que el sistema energético etérico, emocional y mental se recicla con cada encarnación y proviene del desarrollo orgánico de la vida en este planeta, que ha ido generando cada vez vehículos más avanzados para que diferentes seres de la Fuente los animarán. El Yo Superior es, pues, la unidad de evolución, mientras que alma es vehículo de encarnación, y, solo para aquellos seres humanos que están lo suficientemente desarrollados, se produce la cristalización del espíritu, proveniente del trabajo interior de cada persona.

## Un periplo por múltiples grados de evolución

Visto lo anterior, si nuestro ser o Yo Superior es solo una parte del impresionante complejo que en realidad somos, pero ya nace de la Fuente y tiene todas las características necesarias para poder "existir" eternamente en la misma ¿Por qué nos encarnamos en un cuerpo físico? ¿Cuál es el propósito? La respuesta más sencilla es que el juego de la creación es un juego de aprendizaje. Todo lo que podemos comprender es que estamos aquí para aprender y evolucionar, y, para ello, hay diferentes "cursos" por los que podemos pasar en el proceso.

Estos "cursos" no son más que una analogía para definir los diferentes niveles de crecimiento de nuestra conciencia y alma. Cada curso tiene una serie de experiencias y lecciones asociadas a nivel macro, repartidas en múltiples vidas y encarnaciones. A medida que vamos aprendiendo esas lecciones y experiencias nos expandimos, crecemos e incrementamos nuestro potencial y consciencia, por lo que necesitamos vehículos físicos cada vez más complejos para sostener el nuevo nivel energético y evolutivo.

Así que, a partir de ahora, consideremos la vida, esto de estar correteando por aquí en un cuerpo físico, tratando de comprender este vía crucis (para algunos) en el que estamos metidos, como un juego de aprendizaje y, como juego que es, pasaremos una buena parte de este libro explicando al resto de jugadores, las reglas del juego, las trampas del mismo y a aquellos otros participantes que, sin ser originales de aquí, tomaron las riendas del tablero.

## La estructura energética de la "Creación"

Empecemos entonces por lo más abstracto y vayamos bajando para explicar las reglas de este juego evolutivo.

Como ya podéis ver, a medida que seguimos intentando comprender cómo funciona este entramado de la vida en el que estamos inmersos, van apareciendo filosofías y enseñanzas que van sumando piezas al rompecabezas de nuestra compresión particular. En este caso, vamos a ver parte de esas piezas tal y como los antiguos pitagóricos las encajaban. La escuela esotérica pitagórica se considera uno de los repositorios de todo el conocimiento metafísico más "puro" al que tenemos acceso para entender cómo funcionan las cosas en la escuela de la Tierra en la que estamos metidos.

Cuando Pitágoras definía para sus alumnos, en sus enseñanzas, su conocimiento de cómo estaba formada la realidad, la describía como un *"materialismo espiritual"*, pues decía, y sabía, que toda la materia tiene consciencia y, por ende, todos los niveles de existencia posibles, sean físicos o no, son planos espirituales, simplemente en diferentes grados de condensación vibratoria.

Para los pitagóricos, la existencia de nuestra realidad está basada en una trinidad de aspectos equivalentes y relacionados entre sí: *la materia, energía y la consciencia*, y ninguno de esos tres aspectos puede existir sin los otros dos. Toda materia se encuentra en movimiento constante, es energía en algún estado de vibración y toda materia tiene consciencia.

## Mónadas, unidades de conciencia, átomos primordiales

Pitágoras decía que la materia está compuesta de átomos primordiales, que llamó *mónadas*, término que ya hemos usado y visto antes. Para los que habéis leído los libros de Jane Roberts y Seth, al mismo concepto estos autores lo denominan *"unidades de conciencia"*. Estas partículas son las partes más pequeñas posibles con conciencia individual y su combinación y agrupación, en diferentes formas, dan lugar, en millones de órdenes de magnitud superiores, a partículas sub-atómicas como quarks y electrones, que a su vez dan lugar, los primeros, protones y neutrones, que juntos dan lugar a átomos, agrupados en moléculas, organizados en células, y manifestando todo aquello que está vivo en nuestro planeta. Así, desde el inicio, la conciencia de estos átomos primordiales, mónadas o unidades de conciencia, existen como los bloques fundamentales de construcción de la realidad, los ladrillos que forman todo lo que vemos y conocemos.

Cuando los pitagóricos empezaron a estudiar la materia, se dieron cuenta de que la podían dividir en varias clases. Una, *la materia primordial*, no-manifestada, la misma energía de la Fuente que todo lo abarca y desde donde todo "sale", y una segunda clase de materia-energía, la *manifestada*, que compone las divisiones primarias de la Fuente, los cosmos o universos y todo lo que en ellos se contiene.

Así, según diferentes enseñanzas esotéricas y metafísicas existe una "fuente central" estática y los universos rotan alrededor de la misma, formando una especie de esfera infinita que se expande constantemente.

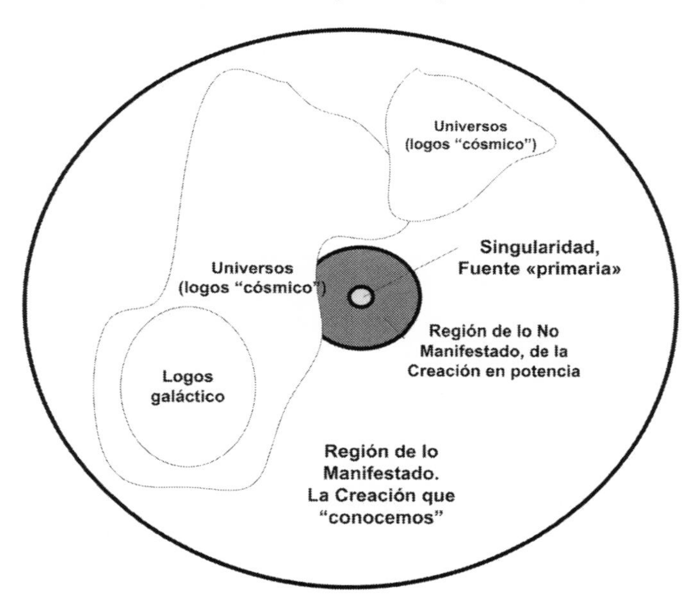


Luego, cada universo, cada galaxia, cada sistema solar, cada planeta, posee una estructura energética consistente en una serie de planos o niveles de diferente densidad, penetrando y superponiéndose los que son más altos en vibración, a aquellos que son menores en ella.

Siguiendo *la ley de las octavas*, la estructura de cada planeta está dividida en 7 macro planos o niveles frecuenciales con diferente densidad de vibración, y cada nivel está dividido a su vez en siete subniveles, haciendo un total de 49 niveles dentro de una primera división por frecuencia de vibración y composición energética (ya que cada uno de esos niveles se puede seguir dividiendo en siete, que se puede dividir en siete más, etc.).

El primer macro-plano comprende los subniveles del 1-7, el segundo del 8-14, el tercero del 15-21, el cuarto del 22-28, el quinto del 29-35, el sexto del 36-42 y el séptimo del 43 al 49. Cada uno de esos planos difiere solamente en la composición energética de las unidades primordiales que la forman, en su duración, en su movimiento y en el nivel de las mónadas o unidades de conciencia adaptadas a la vibración del sub-plano donde se manifiestan. Pero esto es solo una aproximación, pues si siguiéramos dividiendo los sub-planos en otros sub-niveles obtendríamos escalas diferentes para poder "medir" los estadios frecuenciales y vibracionales que forman la Creación, así que lo usamos solo como una referencia para poder entender como están formadas las cosas sin entrar en los detalles de la misma.

## Sobre la Ley de las Octavas

Acabamos de mencionar que la estructura de la Creación sigue una ley que recibe el nombre de la *Ley de las Octavas*. ¿Qué es esto? Ya sabemos que todo lo que sucede en nuestra realidad, todo evento, situación, proyecto, "cosa", etc., sigue un proceso energético. Todo, para poder manifestarse, completarse, empezarse y terminarse, pasa por unos pasos y unas etapas que, al igual que podemos identificarlas de forma física cuando estamos metidos en ello (por ejemplo, un proyecto del trabajo tiene una etapa que sería el paso 1, otro momento que sería el paso 2, luego vendría el paso 3, etc.), también podemos identificar la parte energética de las mismas, aunque a priori no sea tan fácil. Pero no puede haber nada creado, manifestado, ejecutado o llevado a cabo en nuestra realidad que no siga un proceso energético de pasos, desde que *"eso"* empieza hasta que *"eso"* se termina. Este proceso es lo que se conoce como una octava.

Se le llama octava porque los pasos o saltos energéticos que sigue todo lo que existe para pasar de un estado *A* hacia un estado *B* son principalmente siete (más uno). Estos pasos, más cortos o más largos en duración, para que todos nos entendamos, son como las notas musicales, y así están explicados, por ejemplo, en las enseñanzas de Gurdjieff. Todo lo que empieza se inicia en el estado energético o nivel que podemos asignar a la nota DO, luego pasa a un estado que sería correspondiente a la nota RE, luego al MI, al FA..., hasta que termina con el DO de la siguiente octava. Como todos sabéis, las notas musicales representan cada una un tipo de energía diferente, una frecuencia, un estado vibracional, de ahí que nos sean tan útiles para poder estudiar las octavas de las que se compone todo lo que nos sucede en la vida.

Por lo tanto, una octava es un proceso que tiene un inicio y un final y que tiene 8 pasos energéticos, ocho etapas, contando que, el último paso de estos, como en las notas de un piano, el DO final, es el DO inicial también de una octava de orden superior. En nuestra realidad, en nuestro planeta, en el universo, todo funciona por octavas, todo está regido y estructurado según la ley de las octavas y el conocimiento de estas es lo que nos permite comprender como es nuestro planeta, nuestro sistema energético o nuestra galaxia.

Así, volviendo a la estructura de cómo están formados los diferentes niveles y estructuras de la Tierra, nuestro planeta tiene 7 macro planos o niveles frecuenciales que podemos representar tal y como veis en la figura siguiente:

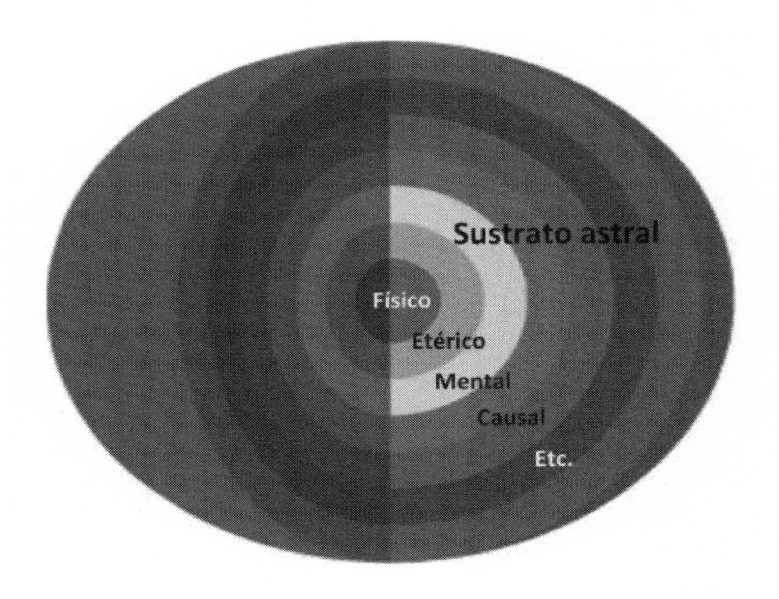


Los nombres de los planos que veréis en los esquemas varían de una escuela metafísica a otra, ya que cada línea esotérica o mística ha adoptado su propia terminología, por lo cual, a veces, es realmente difícil saber de qué nivel o banda estamos hablando cuando leemos o estudiamos información de diferentes líneas de conocimiento, así que personalmente los nombro como los aprendí en su momento, desde el más alto en vibración hasta el más denso:

- 1 - plano ádico, samádico o divino
- 2 - plano anupadaka o monádico
- 3 - plano nirvánico o átmico
- 4 - plano búdico o espiritual
- 5 - plano mental (incluye el plano causal como parte superior del mismo)
- 6 – campo astral, hace de sustrato para el resto de planos
- 7 - plano físico (incluye el plano etérico como la parte superior del mismo)

Estos planos y niveles son esféricos. La Fuente se define como una esfera infinita, los universos son esféricos, las estrellas y soles son esféricos, y los planos o niveles dimensionales y frecuenciales, que los componen, son esféricos también. Y todos "ocupan" el mismo espacio, porque se trata de esferas de radio cada vez más amplio donde los planos más densos están contenidos dentro de los planos más etéreos. Cuando hablamos de los diferentes planos no físicos que rodean nuestro planeta, la Tierra, siempre empiezan todos a medirse desde el núcleo o centro de la misma, por lo que hay partes de los planos más elevados, que, "físicamente", se encuentran en el interior de la parte física de la Tierra, y hay partes de esos mismos planos, que, "físicamente", llegan muy lejos de la misma.

## Breve descripción de los diferentes cuerpos y planos de la Tierra

Al igual que el cuerpo humano, nuestro planeta tiene su propia estructura energética, por lo tanto, tras el plano físico, que es el soporte para la realidad que nosotros percibimos como tangible a los sentidos, el primer nivel sutil

del planeta es el plano etérico dond
ubicados, por ejemplo, los chakras de la Tie
de canales.

Todos los planetas tienen esta misma est
planos y realidades paralelas que vamos a ver ahora
parecida, es decir, en general, este es el modelo
menos estándar para la formación de planetas. Esto fa
el contacto entre seres y razas que pueden viajar ent
partes de la galaxia, y pueden asistirse, y pueden de alguna forma entrar y salir de diferentes planetas conociendo la estructura básica de la mayoría de estos.

## El plano etérico

Empezando en el nivel etérico, nos encontramos con vórtices conocidos como los chakras de la Tierra. Los chakras del planeta son varios, muchos más que en el ser humano, ya que la Tierra, como planeta, tiene una constitución más compleja que nosotros. Estos vórtices o chakras terrestres están comunicados entre sí por las líneas de energía que recorren el planeta a nivel etérico, una red de canales tremendamente compleja que algunos ya conocéis con los nombres de líneas Ley, Hartmann y otras denominaciones, siendo este tipo de líneas solo algunas de las vías por las que circula el flujo de vitalidad que sostienen todos los campos energéticos del planeta. Es una red de muchos niveles y puntos de interconexión, que abarca muchas capas, dentro del mismo plano o cuerpo etérico. Aquí es donde estarían, en este caso, los vórtices más importantes que serían el equivalente a nuestros chakras primarios.

A continuación, en esta estructura planetaria existen también puntos que podríamos asimilar a nuestros *tantiens,*

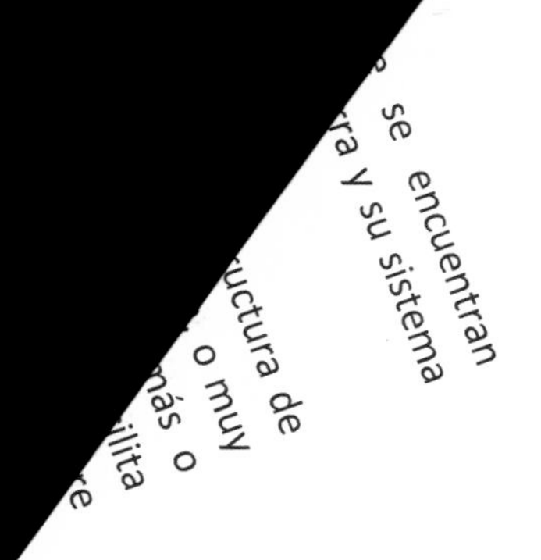

mes para la continuidad de
én dentro del plano o capa
ales principales y muchos
nergéticos son los que, en
de las que hablaremos
ósitos de gestión del
viene del Sol, ya que la
e recibe nuestro "logos
la vitalidad de nuestra

## El sustrato astral

Luego, el planeta no tiene una estructura emocional como tal, así que no hay el equivalente al cuerpo emocional del ser humano, ni un plano astral como tal, sino que el campo astral es el sustrato para el resto de planos, algo así como el éter, o más bien como si el éter fuera la energía base que hay en el plano astral y ahí están asentados y ubicados todo el resto de planos. Dicho de otra manera, el campo astral es la energía que sostiene y amalgama todo el conjunto de planos y niveles de la estructura de la Tierra, estando presente desde su plano más interior hasta el más elevado en frecuencia.

## Plano mental y causal

Lo que viene a continuación es la estructura mental y causal del planeta, dos cuerpos para la Tierra, o mejor dicho, dos estructuras dimensionales desde donde se gestiona parte de la vida mineral, vegetal, animal y humana. En el plano mental están todos los inconscientes colectivos de todos los reinos, incluido el nuestro, en el plano causal están, entre otras cosas, los arquetipos que forman los planos y plantillas, moldes y formas de las estructuras etéricas y físicas.

Por encima, están las estructuras de planos que llamamos el plano búdico, el plano átmico, el plano monádico y el plano ádico. Estos nombres son un poco confusos, pero espero que nos sirvan para entendernos. Son otros planos mucho más elevados, que corresponden a las estructuras equivalentes en el ser humano de los cuerpos superiores que hemos comentado al principio.

Pero en estos niveles no hay procesos humanos, es decir, ningún humano en su proceso entre vidas llega a trabajar con planos más allá de causal, ni prácticamente ninguna de las razas "opresoras" tienen potestad ni permiso para inmiscuirse en esos niveles, esto es lo que permite a Kumar y las jerarquías de "luz" que nos asisten poder hacer todo su trabajo sin ser molestados, ya que en los planos superiores no tienen interferencias desde las razas que sí que pueden trabajar desde el plano causal hacia el plano físico.

## La estructura multidimensional de la Tierra

Una vez comprendido esta estructura básica de nuestro planeta, vamos a ampliar nuestra visión, porque la Tierra, como conjunto, no es una "sola Tierra", como podríamos percibir, sino la suma de muchas "Tierras superpuestas", en una estructura compleja que nos lleva a hablar de la existencia de realidades paralelas.

¿Qué significa esto? Si viéramos la Tierra desde fuera con "ojos multidimensionales", no veríamos un solo planeta, sino que veríamos, vamos a decirlo así, 16 esferas entrelazadas e interconectadas, cada una con la apariencia de la misma Tierra que conocemos, pero a diferentes frecuencias y a diferentes niveles de vibración, con diferentes estructuras energéticas para que no se "interfieran", y, en conjunto, eso es lo que realmente diríamos que forma la estructura completa del planeta.

Así, aunque suene algo confuso, podríamos decir que, a nivel físico, hay 16 planos físicos o espacios físicos como en un poliedro, donde existimos en una de las caras de esa realidad múltiple, pero, para nosotros, esa cara es redonda, es un planeta entero, así que es difícil de visualizar como un planeta circular y esférico. Para que lo podáis imaginar, si ponéis 16 esferas conectadas y tocándose unas con otras, pero además ponemos los planos no físicos que las envuelven, podemos llegar a construir, moldeando las energías de todo el conjunto, literalmente un poliedro de 16 caras o planos que corresponden a la suma de las realidades globales del planeta.

Entonces, si a nivel físico, podéis imaginar 16 "Tierras" conectadas y entrelazadas entre sí formando todo el conjunto de realidades paralelas que hemos visto todos en el cine o series de ficción, a nivel etérico, ocurre lo mismo, hay 16 entramados etéricos que sustentan las 16 realidades físicas adyacentes, con pequeñas diferencias entre el sistema etérico de canales y vórtices de nuestra realidad respecto al mismo sistema de las realidades paralelas.

Luego, a nivel del sustrato astral, puesto que es la materia que interpenetra todo el sistema de planos, se trata de una energía y campo consciente que está en todos lados, y colándose por todos los huecos y recovecos de esta macro estructura. A continuación, a nivel mental, hay un plano mental común para todo el conjunto de realidades paralelas y luego sub-planos mentales para cada realidad de manera individual, siendo este plano mental "global" el primer nexo común que une todas las realidades que existen en nuestro planeta y a través de ese plano común es por donde nosotros nos comunicamos con esas otras realidades en sueños, en proyecciones astrales, de consciencia, etc., ya que nuestro Yo Superior hace que se compartan nuestras experiencias para nuestros crecimientos mutuos.

Finalmente, a partir del plano causal todos los planos son comunes para las 16 realidades, así que es un entorno único y compartido para todos.

## ¿De dónde sale el número de 16 realidades que hay para el plano físico de cada planeta?

Todos estamos familiarizados con los ejes x, y, z y t que forman el sistema de referencia espacio-temporal de nuestra realidad. Es decir, todos sabemos que el mundo en el que vivimos tiene un largo, ancho, alto y un eje de tiempo, de manera que vivimos en cuatro dimensiones, tres espaciales y una temporal. Si tomamos como referencia las tres coordenadas espaciales que forman la estructura de nuestro plano físico y la coordenada temporal, al combinarlas, nos dan una serie de posibilidades a la hora de orientar los ejes que forman entonces diferentes entramados que dan lugar a esas diferentes realidades. Dicho de otra manera, las partículas que forman el entramado de la realidad tienen también cuatro ejes, y estos ejes se pueden recombinar a nivel de los ángulos y vectores que los forman.

Cuando decimos que existen 16 realidades paralelas en el planeta, es porque es el número de combinaciones que pueden hacerse con un sistema físico-etérico y mental idéntico al nuestro, pero en otras frecuencias y con otra disposición energética ángular, pero que no nos permite interactuar, a nosotros, que estamos leyendo este libro en la realidad que nos toca, con esas otras realidades paralelas, y luego veremos porqué.

Así, ahora la pregunta sería, ¿por qué son necesario tantas realidades paralelas? ¿Cuál es el propósito de una estructura tan compleja? La respuesta es para poder dar salida a las diferentes manifestaciones de todas las octavas y procesos que se ponen en marcha por los seres vivos, que no tienen un solo efecto y no tienen una sola manifestación lineal. Para que exista la posibilidad de que cualquier cosa en cualquier modo y en todas sus posibilidades tenga existencia y pueda ser experimentado, se diseñan los sistemas evolutivos con multitud de realidades co-existentes y adyacentes para que lo que el David de ahora no vive, lo vive el David de la realidad de al lado, y así, en conjunto, el David total y el Yo Superior, asumen la experiencia de este plano de forma más eficiente.

Es como decir, si existen 10 posibilidades y formas diferentes de que un evento o experiencia tenga lugar para una persona, ¿por qué vamos a desaprovechar 9 de ellas haciendo que solo se manifieste una? Aunque suene algo abstracto y complicado, muchos planetas a lo largo y ancho del universo son planetas "multi-realidad", multidimensionales, donde co-existen diferentes versiones paralelas de cada ser encanando en ellas y existiendo simultáneamente en estas, para vivir y experimentar todas las posibilidades evolutivas que ofrece ese planeta en su conjunto. Esto hace que, como veremos luego, haya varias versiones de nosotros mismos en esas otras realidades a las cuales no tenemos acceso consciente, más que en sueños, proyecciones astrales o de consciencia hacia ellas.

## Un Logos para gestionarlo todo

Finalmente, ¿cómo se gestiona todo este entramado tan complicado? Pues es Kumar, el nombre que tiene el Logos y consciencia de la Tierra en su conjunto quien lo hace. A este logos otras culturas lo denominan Pachamama, Madre Tierra, Gaia, etc., y es el encargado del control de las 16 realidades y tiene consciencia de lo que sucede en cada una de ellas, tanto a nivel físico, etérico como mental. También hay que matizar que a nivel etérico hay más realidades que las 16 del plano físico, siendo una estructura matricial de 3x6, y a nivel mental, la estructura es de una matriz de 3x5, con otros compartimentos que sirven para mantener y ejecutar procesos de creación y sostenimiento de la estructura de todos los planos para otros tipos de vida, animal, vegetal, mineral y otras líneas evolutivas que no conocemos, que también tienen en la Tierra su hábitat natural y sistema de vida.

A partir del plano causal, ya no hay separaciones en diferentes realidades adyacentes, sino un diáfano, por decirlo así, sistema y estructura energética común para todos. Kumar supervisa y actúa desde el plano superior de todos, lo que llamamos el plano ádico, estando presente en todo el conjunto a la vez, así que es consciente de todo lo que sucede en los niveles inferiores de la estructura física y energética del planeta que ocupamos los seres humanos y los reinos de la naturaleza.

## Vidas paralelas, el punto de anclaje e intercambio de experiencias entre realidades

Entremos ahora en este tema tan interesante que hemos comentado: la existencia de diferentes versiones de nosotros mismos en cada una de estas realidades del planeta. Como hemos visto, la estructura de la Tierra está formada por 16 realidades interconectadas entre sí mediante lo que llamamos portales dimensionales. Esto da lugar a la proyección, desde nuestro Yo Superior, de diferentes existencias de nosotros mismos, lo que podríamos denominar nuestros "clones" o proyecciones en otras realidades, teniendo, todos nosotros una versión de nosotros mismos en cada una de las 16 realidades.

Esta versión de nosotros mismos fue creada, nació, por decirlo así, el mismo día en el mismo momento en cada una de las múltiples realidades, pero ha ido tomando diferentes decisiones, caminos y alternativas dentro de la propia estructura de la realidad en la que se encuentra. En estas otras versiones de nosotros mismos, podemos no llamarnos igual, pero hemos nacido de los mismos padres, y normalmente, en el mismo lugar del espacio y del tiempo, pero las circunstancias de ese espacio-tiempo pueden ser distintas para cada una de las 16 "caras" de la Tierra.

La razón por la cual no vemos ni percibimos ni tenemos interacción con esas otras versiones de nosotros mismos en las realidades paralelas del planeta es porque poseemos una estructura que se denomina el *punto de anclaje*, que es una especie de sintonizador frecuencial en el cuerpo etérico que nos mantiene sintonizados y anclados a la realidad en la que nos ha tocado estar, y que impide que los vectores de cada partícula cuántica que forma todo nuestro entramado energético puedan variar y cambiar su configuración para "resonar" con el entramado de cualquiera de las realidades adyacentes a la nuestra, manteniéndonos en esta, y asegurándonos que no vamos por la calle andando y de repente pasamos a la realidad paralela de al lado, o percibimos dos realidades simultáneamente causándonos, como mínimo, una gran cantidad de confusión si no problemas mentales más graves por ello.

De igual manera, el resto de "clones" o versiones de nosotros mismos tienen su propio punto de anclaje conectado y sintonizado a la frecuencia y estructura de su propia realidad. Este punto de anclaje es una estructura etérica situada a unos 30cm por detrás del omoplato izquierdo y está protegida y resguardada para que no pueda ser manipulada, de forma que no tengamos forma, a menos que se conozcan las técnicas adecuadas, como en algunos libros de chamanismo se ha hecho referencia, a la manera de manipular el punto de anclaje para poder sintonizar la frecuencia de otra de las 16 realidades y poder interactuar con ellas, algo que no es necesario ni aconsejable para ninguno de nosotros.

Así, en el momento de iniciar una nueva encarnación, cada uno de los avatares que usamos, cada uno de los vehículos físicos que ocupamos, al nacer ya en una realidad concreta, ya tiene de serie en el cuerpo etérico que le corresponde la frecuencia base de esa realidad sintonizada correctamente. Es como si te vas a comprar una radio y según la zona del planeta donde vivas te la entregan con las emisoras locales de tu ciudad pre-sintonizadas. De esta manera, la entrada del alma en el nuevo cuerpo y sistema energético, ya se realiza para cada realidad en la que co-existimos de manera segura y sin posibilidad de alteraciones, cambios o problemas por no poderte ajustar adecuadamente a la frecuencia de tu entramado físico, etérico y mental en el que vas a pasar toda la encarnación que se inicia.

Finalmente, como ya podemos suponer, es nuestro YS el encargado de la gestión de las experiencias en las 16 realidades, así que va traspasando y va conectando en diferentes puntos cuando es posible, diferentes partes de nosotros mismos para hacer un trasvase de aquello que es necesario para mantener el equilibrio evolutivo entre todas nuestras co-existencias.

## Influencia entre vidas y realidades paralelas

Entonces, si esto es así, ¿cómo me afecta y porqué tendría que importarme lo que esté pasando en otras realidades?

Buena pregunta, ya que, en principio, nosotros solo somos conscientes de una sola de esas realidades, aquella a la que estamos anclados y sintonizados mediante el "punto de anclaje", que no es más que una parte de la estructura energética del ser humano que nos mantiene "sintonizados" y sin posibilidad de movernos de la realidad que nos toca.

La respuesta al porqué nos interesa tener una noción de lo que está pasando es por la repercusión que tiene en nosotros, y por los efectos que genera el movimiento y la interconexión de diferentes realidades entre sí. Estos procesos llevan a un incremento de todo tipo de fenómenos raros, conocidos con el nombre del efecto Mandela[1], deja-

---

[1] El efecto Mandela es un término que se asocia a personas que recordaban haber visto por televisión exactamente el momento en el que Nelson Mandela murió en la cárcel. El funeral en su honor, y todo lo demás. En realidad, Mandela sobrevivió al presidio, y vivió algún tiempo fuera de él antes de fallecer. Pero por mucho que digamos de que eso es

vus, alteraciones de la realidad en las que nos suceden cosas que no podemos explicar pero que somos conscientes que

---

así, de que su memoria podría haberles jugado una mala pasada, a muchos les cuesta asumirlo. Lo vieron "con sus propios ojos".

El proceso a través del cual un evento que sucede en una de las realidades paralelas que co-existen en nuestro planeta termina "colándose", a nivel mental, en la nuestra es la causa de lo que se conoce como el *efecto Mandela*. Nuestro planeta, como estructura multidimensional que es, posee varias realidades paralelas en las que se producen diferentes versiones de muchos de los eventos que nosotros, en esta realidad, a la que estamos acotados y fijados por nuestro punto de anclaje, percibimos de una forma determinada. Cuando, debido a cambios, distorsiones, aperturas espontáneas o sucesos aleatorios de conexión entre estas realidades a nivel del plano mental se "cuelan" los escenarios y situaciones de una realidad a otra, hay personas que se ven influenciadas, porque su cuerpo mental y su esfera de consciencia en ese momento ha sintonizado el escenario mental de una situación que proviene de una realidad adyacente, y por lo tanto, lo toman como evento real en esta, y perciben, en su realidad ilusoria y holocuántica, que ese evento ha sucedido o está sucediendo realmente también en la nuestra.

Luego, al disiparse el escenario mental del evento, por ejemplo la muerte de Mandela, pues no tiene un sustrato etérico y menos una contrapartida física "tangible" en nuestra realidad, uno se da cuenta de que fue una "ilusión", una "distorsión mental", a posteriori, pero no cuando se está conectado en ese momento a ese escenario "intruso", que es tan real a nuestra percepción psíquica como cualquier otro. Así, miles de personas han podido percibir muy realmente algo que proviene energéticamente de otra de las realidades paralelas del planeta, y lo han integrado como parte de sus recuerdos y memorias, pero no todo el mundo lo ha hecho y por eso no es una percepción universal para todos y, cuando ese escenario ya no está, y aquellos que lo percibieron tratan de comprobarlo y verificar sus recuerdos, resulta que la realidad "sólida" y etérica de esta "dimensión" en la que estamos no concuerda con lo que estamos seguros de recordar y haber percibido en otro momento.

han sucedido y hemos vivido con total certeza, etc. No son producto de la imaginación, y no son producto de nuestros delirios mentales, sino que son resultado de movimientos energéticos a gran escala que en ciertos momentos, pueden descolocarnos por completo.

Puesto que cada uno de nosotros tiene sus contrapartidas en otras realidades paralelas (la película *"Coherence"* es estupenda para ver esto, o *"Las vidas de Mister Nobody"*), estamos sintiendo y viviendo con más intensidad, sin saberlo, efectos de causas que no se encuentran en nuestro mismo entramado o sub-realidad, sino que pertenecen a causas originadas en otras versiones de nosotros mismos y de nuestra estructura multidimensional y solo el hecho de conocer al menos su existencia y como funciona nuestro planeta como escuela evolutiva, nos permite expandir nuestra consciencia y darnos cuenta de lo complejo del sistema de vida en la Tierra en el que nos encontramos en este momento.

## Encarnaciones simultáneas

Ahora que hemos visto que, para poder evolucionar, el Yo Superior encarna en un cuerpo físico (o en una forma de vida apropiada) que le sirve de "avatar" o "traje" para poder experimentar la vida, veamos cómo funciona este proceso de "crecimiento" y aprendizaje por el que estamos transitando para ello.

Todos sabemos que el método que conocemos de evolución es lo que comúnmente se llama *reencarnación*. Consiste en un YS creando la estructura evolutiva que hemos visto (alma, cuerpos inferiores) y proyectándose en un cuerpo físico, teniendo una vida, aprendiendo y, cuando este vehículo fallece (muere la parte física), el Yo Superior recoge todo lo vivido (que lo hace constantemente) y el alma y el sistema de cuerpos sutiles pasan por un proceso de limpieza y revisión, y esta (el alma) se prepara de nuevo con el Yo Superior (que hace de coordinador) para la siguiente vida.

Sin embargo, el proceso de encarnación usado no es realmente de esta forma, sino que sigue un patrón que llamamos *simultáneo* pues el concepto tiempo "lineal" es solo una apreciación de nuestra mente y cuerpo físico. Es una limitación que tenemos porque no podemos percibir que realmente todo está sucediendo a la vez, aunque así sea. Es decir, todas nuestras encarnaciones son simultáneas, desde la perspectiva de nuestro Yo Superior o de cualquier entidad que se encuentre fuera de nuestro espacio tiempo 3D.

## Percepción simultánea del pasado, presente y futuro

Esta es una de las cosas que más nos cuesta entender cuando hablamos del concepto del tiempo: en un nivel que no podemos actualmente percibir, todo está sucediendo de forma simultánea. Pasados, presentes y futuros coexisten en un eterno "ahora" para aquellos puntos de vista que se encuentran fuera del nivel en el que estamos nosotros, donde nuestra construcción mental y energética nos hace percibir el tiempo como una sucesión lineal de eventos y sucesos, que, en realidad, si los viéramos, desde otro punto de vista, fuera de estas limitaciones espacio-temporales, veríamos que están todos ocurriendo de forma simultánea.

Para ayudar a cambiar esta percepción lineal, imaginemos que todo el conjunto de nuestra existencia, de todas las vidas que hemos tenido, estamos teniendo y tendremos es como las canciones de un CD o de un disco de vinilo.

Cada una de las canciones grabadas en este disco representa una de nuestras encarnaciones, una de nuestras vidas. Para nosotros, algunas canciones están "antes", y las llamamos vidas "pasadas", y otras están "después" en el disco, y las llamamos vidas "futuras". Sin embargo, para los seres o entidades fuera de las limitaciones de un cuerpo físico, y por supuesto, para nuestro Yo Superior, todas las canciones están ya sucediendo a la vez, todas están dentro del mismo disco, todas están ya grabadas y todas son simultáneas. Lo único que determina qué punto del disco es el "presente", es donde se encuentra la aguja o láser de lectura, es decir, dónde se encuentra focalizada tu "conciencia" en este momento. Todo lo que tú percibes ahora es tu "presente", todo lo que está "antes" es tu pasado y todo lo que está después, es tu futuro. Si lo miramos dentro de la misma "canción", se trata de eventos pasados y de eventos futuros que ya hemos escuchado o que aún no han "sonado", si se trata de pistas o canciones antes o después, son vidas que hemos dejado atrás y otras que aún están por venir.

Cuando hacemos predicciones de futuro o leemos vidas "pasadas", estamos accediendo, mediante nuestra conciencia, a otras pistas del disco que están perfectamente activas en su propio marco de referencia. ¿Se pueden modificar los pasados y los futuros? Perfectamente. No tienes más que enfocar tu conciencia o punto de referencia en una de esas pistas o canciones del CD, y hacer los cambios que desees en ella. Según el punto de acceso en el cual hayas intervenido, habrás creado una ola de eventos que se irán modificando los unos a los otros como fichas de dominó cambiando toda la canción entera. Lo que pasa es que, cuando accedes a otro punto del espacio tiempo y lo modificas desde una proyección de tu consciencia, estás creando, en muchos casos, una canción paralela igual o prácticamente igual a la canción actual que estabas modificando, en la cual unos ciertos eventos ya han sucedido (están escritos en el surco del vinilo y forman parte de una parte de esa vida-canción) y otros nuevos son generados como resultado de la modificación. Es decir, no se puede modificar un evento real y manifestado del pasado en tu línea temporal, ya que cuando lo modificas, creas una nueva línea temporal con las nuevas repercusiones de esa modificación, pero no te afectan a ti directamente (a tu pasado) porque se transmiten por otra línea temporal a la cual tú no estás conectado y solo recibes el efecto colateral de la "onda energética" de esa modificación.

Así, es perfectamente factible poder conectar con tu "yo futuro" dentro de tu mismo surco, que tiene a su vez múltiples sub-surcos que representan las múltiples posibilidades que tienes por venir. Esos sub-surcos (todos dentro de la misma canción o vida actual), aparecen y desaparecen a medida que vas avanzando por la vida y se manifiestan unos eventos u otros dependiendo de tu libre albedrío; en algún nivel de un súper disco de vinilo, todas las posibilidades están ya "grabadas", pero son casi infinitas, así que lo único que tienes que hacer es poner tu aguja en el sub-surco que más te convenga, para dirigir tu vida por la parte de la canción que desees. Esto es lo que hacemos cuando tratamos los temas de creación consciente de nuestra realidad: elegimos el sub-surco más adecuado en cada momento, de forma que se vaya creando la canción que deseamos usando el abanico de las cientos de miles de posibilidades que ya tenemos pre-grabadas para cada una de nuestras encarnaciones.

Y lo mismo para las otras canciones, nuestras otras vidas. Puedes conectar con una canción pasada, una vida pasada, según nuestro punto de vista, simultánea desde el punto de vista de nuestro Yo Superior con todas las otras, y percibir cosas que están sucediendo en ese surco. No importa si nuestro personaje en esa otra vida ya se supone que ha fallecido, de hecho, ya falleció en una parte de la canción, pero tú puedes ir a la parte de esa canción que desees y "leerla" o cambiarla. Es de esperar que, en alguna ocasión, nosotros percibamos de igual forma todo el continuo espacio temporal como lo que es, un eterno ahora sucediendo todo en el mismo momento. De nuevo, en estos momentos, nosotros vivimos en una de esas pistas de música, pero eso no significa que nuestro Yo Superior no pueda percibir y poner cualquiera de las otras, que para nosotros están antes (canciones anteriores, del pasado) o vienen después (del futuro), pero, para quien pone el CD, no tiene ningún sentido, todas están "ahí", en ese mismo momento, son simultáneas.

## Reencarnación y libre albedrío

Vista la explicación anterior, hay dos aspectos que quedan en el aire o que pueden resultar confusos y que vamos a retomar con más detalles, que son el concepto de reencarnación, tal y como lo conocemos y se ha explicado en miles de libros a lo largo de decenas de filosofías, y el concepto del libre albedrío. Primero, hemos de entender que el punto de vista secuencial de la vida, el concepto de ir entrando y saliendo de una encarnación tras otra linealmente, es el mismo punto de vista que se tiene cuando se escucha una canción del CD una detrás de otra. A pesar de que todas las canciones son simultáneas, solo puedes escuchar una a la vez, y luego otra y luego la siguiente, dándote la impresión de que las canciones vienen y están secuencialmente existiendo, ya que se tiene el punto de visión que tiene la aguja lectora del CD que solo puede leer una tras otra. Por lo tanto, la visión secuencial de la reencarnación es la visión de la personalidad y del alma, pero no es la visión del YS que percibe y coordina todas las vidas a la vez. Esto espero que reconcilie ambas visiones, pues la "reencarnación" es, hasta cierto punto correcta, desde una visión de la personalidad y su forma de comprender el concepto tiempo, pero es errónea desde cualquier otro punto superior de vista, donde, repetimos, todo está sucediendo simultáneamente.

A continuación, el siguiente problema que se nos plantea es el concepto del libre albedrío. Si ya está todo sucediendo simultáneamente, ¿Dónde queda mi capacidad de escoger lo que deseo en mi vida? Para entender este último concepto, hemos de explicar lo que es la llamada *"trama sagrada"* del ser humano.

## La trama sagrada y preselección de experiencias potenciales

Todos nosotros, para cada encarnación, a nivel de alma y a nivel de Yo Superior, pre-planificamos miles de posibles experiencias, vivencias y lecciones que potencialmente podamos llegar a manifestar en el plano físico una vez encarnados. Este conjunto de planificaciones se conoce "esotéricamente" con el nombre de la *"trama sagrada"*, en referencia a las musas del destino de la mitología griega clásica, donde la vida de cada ser humano estaba tejida en un telar por estas musas o diosas mitológicas.

En esta trama sagrada están codificados todos los encuentros, oportunidades, posibilidades y situaciones que deseamos formen parte de la vida en curso, y tenemos miles de posibles combinaciones y situaciones entre las que podemos escoger una vez iniciada la encarnación. Este conjunto de posibilidades potenciales se codifica para cada vida, en cada canción del CD que hemos visto antes, haciendo que, para cada una de las canciones que forman nuestro CD evolutivo particular, tengamos pre-codificados centenares de miles de posibles combinaciones, permitiendo que el libre albedrío de la persona se mantenga y se pueda ejecutar, aunque esté limitado y acotado a las posibilidades de la trama sagrada de cada uno de nosotros.

Dicho con otras palabras, podemos elegir lo que deseamos crear y manifestar y vivir en nuestra encarnación, pero estas elecciones están limitadas a los parámetros de nuestra trama sagrada. Nada que quede fuera de la misma estará a nuestro alcance, y todos esos momentos y experiencias están a su vez simultáneamente codificadas para nosotros en diferentes micro-líneas temporales y sub-realidades dentro de la realidad principal en la que nos encontramos.

De esta manera, se mantiene la posibilidad de que cada persona, por ella misma escoja y gestione su vida como desee, pero se mantiene acotada al conjunto de experiencias y lecciones que ha de cumplir y trabajar para cada encarnación, experiencias que, por otro lado, nosotros mismos nos hemos pre-planificado antes de nuestra entrada en el mundo de los sentidos, con lo que todo el proceso queda completo, revisado y aceptado por todas las partes del ser humano, excepto por la personalidad, que al ser forjada y formada durante la vida en curso, no es consciente de todo lo anterior, y tiene que ir por la vida gestionando algo que en realidad, no comprende, en lo que no ha participado de su planificación y que le arrastra hacia situaciones que puede no entender de dónde salen o porque le suceden.

Simplemente, son vivencias y experiencias puestas "ahí" para que sigamos aprendiendo y comprendiendo la realidad de nuestra existencia, y expandiendo la consciencia con ello.

# Polaridades evolutivas, la Fuente y el proceso de manipulación del ser humano

Seguimos adelante. Vamos a empezar otro bloque de conceptos ahondando más en los aspectos metafísicos que luego nos ayudarán a entender un poco mejor el sistema de vida en la Tierra que estamos desbrozando, y llegar luego a comprender, como en el sueño que os he comentado, quienes eran aquellos "controladores" invisibles, porqué se podía salir sin que nadie lo impidiera y qué estaba haciéndonos caer en la trampa de que el mundo es como nos lo han contado. Para ello, explicaremos primero el concepto de las polaridades evolutivas, y veremos el porqué de la situación del planeta tal y como está en estos momentos, y hacia dónde se dirige la Tierra y nosotros, los seres humanos, con ella.

## La concepción "circular" de la Fuente y la Creación

Cada vez que hacemos un diagrama para explicar la teoría metafísica de la Creación, el concepto de la Fuente primaria, las sub-fuentes, los planos frecuenciales, las divisiones en niveles evolutivos, etc., ponemos una cosa encima de otra, como si estuvieran fuera, conectadas, sí, pero como si una cosa colgara de otra en un espacio abstracto que sirviera de base para ello.

Claro, no tenemos otra forma de representar en las dos dimensiones de un papel y de forma lineal, los conceptos de frecuencia superior, de mayor nivel evolutivo, de mayor jerarquía, o de dependencia energética o vibracional, así que no tenemos otra manera de expresarlo que haciendo dibujos o esquemas en cascada, donde, en lo más alto, tenemos la Fuente o el "origen de Todo", y luego en las partes más bajas vamos poniendo aquello que depende o sale de ese origen. Evidentemente esta representación no es correcta, aunque es la que más nos ayuda a explicar estos conceptos y a entendernos los unos con los otros, pero, si queremos ser un poco más estrictos, o simplemente ser un poco más correctos, tenemos que pensar que no hay nada que no esté dentro de la Creación y que, lo que nosotros dibujamos como "colgando" de otra cosa, en realidad "está" dentro de esa otra cosa.

## La "Creación" engloba todo

No podemos dibujar la Creación, pero si esquematizarla, y su representación es evidentemente un círculo de radio infinito, una esfera que se expande eternamente hasta volver a enlazar consigo misma, de forma que no hay nada que queda fuera de la esfera, como hemos visto cuando explicábamos la Ley de las Octavas y la estructura de la Creación. Inicialmente todo esto, podríamos decir que es energía potencial en reposo, infinita, sin ningún tipo de manifestación en su interior. Luego el impulso de esta energía-conciencia de auto-experimentarse lleva a crear una singularidad, un punto, donde esta energía primordial, inteligencia infinita, comienza a crear en su seno porciones de sí misma que dan lugar a una separación entre **la región de lo no manifestado**, y la **región de "la Creación",** lo generado, desde donde entonces se expande, y se crea, a partir de aquí, todo lo que podemos llegar a conocer de la

Fuente como tal. Los taoístas dicen de esta Fuente primaria que *"El Tao que puede ser expresado no es el verdadero Tao"*, haciendo referencia a la región "manifestada" y a la región de lo no creado.

## Como el agua para los peces

Debido a lo abstracto de este tipo de conceptos, cuando en meditación, mis guías y mi Yo superior trataban de explicarme esto de la Creación, me vino una analogía que estoy más que convencido habréis oído alguna vez. Imaginaros a la Creación como el océano, un potencial de energía en calma, que, de repente, por el deseo de conocerse a sí mismo da libertad, conocimiento, autoconciencia y libre albedrío a todas las gotas que forman el mismo océano, de forma que, ahora, cada una de esas gotas es una porción autoconsciente formada por la energía y consciencia del mismo océano. Algunas gotas son más grandes, digamos que hay bloques de agua que permiten la posibilidad de que gotas de agua menores se pasen por allí y experimenten con otras gotas. Pero todo sigue estando dentro del océano, y el océano en su conjunto aprende de sí mismo con las experiencias que cada una de sus gotas obtiene yendo de un sitio para otro, saliendo de una porción del océano y entrando en otra, juntándose con más gotas, fundiéndose en porciones de agua más bastas o disolviéndose en gotas menores y más pequeñas, dividiéndose para experimentarse y auto estudiarse mejor.

Y ese océano tiene diferentes niveles de profundidad, aguas más cálidas, más profundas o más cristalinas, hay diferentes niveles de experiencia si las gotas se juntan más entre sí, o se separan, hay partes del océano donde da más la luz, y partes donde hay más oscuridad, y todo sigue siendo parte del conjunto. Y los peces son como los seres de la Creación que experimentan en el océano, para un pez, el agua es la Creación, no hay nada que no pertenezca al océano, como para un ser humano no hay nada que nos rodee que no sea parte de la Creación y que no haya salido de la Fuente. Y el pez puede decidir bajar a niveles de agua donde hace más frio, o hay menos luz, o nadar hacia aguas más cálidas o cristalinas, pero siempre se moverá por los confines de la Creación porque no hay forma de salir de ella.

## La región de manifestación de la Creación

Siguiendo con el proceso entonces de la aparición de la vida consciente en la Creación, dicen las enseñanzas metafísicas que de la energía infinita *en reposo*, sale la energía infinita *creadora*. Es a partir de aquí de donde empiezan a manifestarse los diferentes espacios, universos, cosmos, estructuras, dimensiones, realidades, logos y sub-logos, todos contenidos dentro de la región de la Creación *manifestada*, y todos provenientes de la misma Fuente primaria, que es central y estática respecto al conjunto de cosmos y universos.

Para hacerlo resumido, vamos a decir que de cada Logos primario o porción creadora manifestada por la Fuente primaria nace una macro porción de la realidad y de la existencia que nosotros vamos a catalogar como un universo y, dentro de ese universo, otras porciones de la Creación tomarán "vida" como sub-sub-fuentes, o como logos de un orden menor, que podríamos muy bien asimilar a nuestras galaxias (a pesar de que haya jerarquías y niveles entre logos galácticos, pues, por ejemplo, el ser que "da vida" a la Vía Láctea ha "nacido", o ha sido creado, por otro "ser", que, si pudiéramos verlo, sería algo así como otra "macro-galaxia" de donde se crean galaxias menores).

Así, de estos logos cósmicos nacen los logos galácticos, y a partir de aquí ya llegamos a un nivel que más o menos podemos entender, la creación dentro de nuestra propia galaxia, donde existen, en un nivel menor, millones de sub-sub-sub-logos, que para nosotros representan o se manifiestan como soles y estrellas.

Y ya, en el último orden de cosas, aparecen los planetas y satélites, con un orden evolutivo menor, que dependen jerárquicamente del logos solar al que pertenecen (del sistema solar a nivel físico en el que se encuentran) pero que están dentro de la estructura del logos galáctico. Así, hemos ido poniendo en cascada como nacen las diferentes partes de la Creación saliendo una de otra, aunque en realidad es como si de muñecas rusas contenidas una en otra se tratase, todo está dentro del contenedor superior que le dio vida y consciencia.

De manera que, grosso modo, la estructura de la Creación es más o menos como podéis ver en el esquema siguiente, donde desde la FUENTE nacen o son proyectados entes que toman el nombre de "logos cósmicos" y que representan el conjunto de la energía y consciencia de cada uno de los universos que existen.

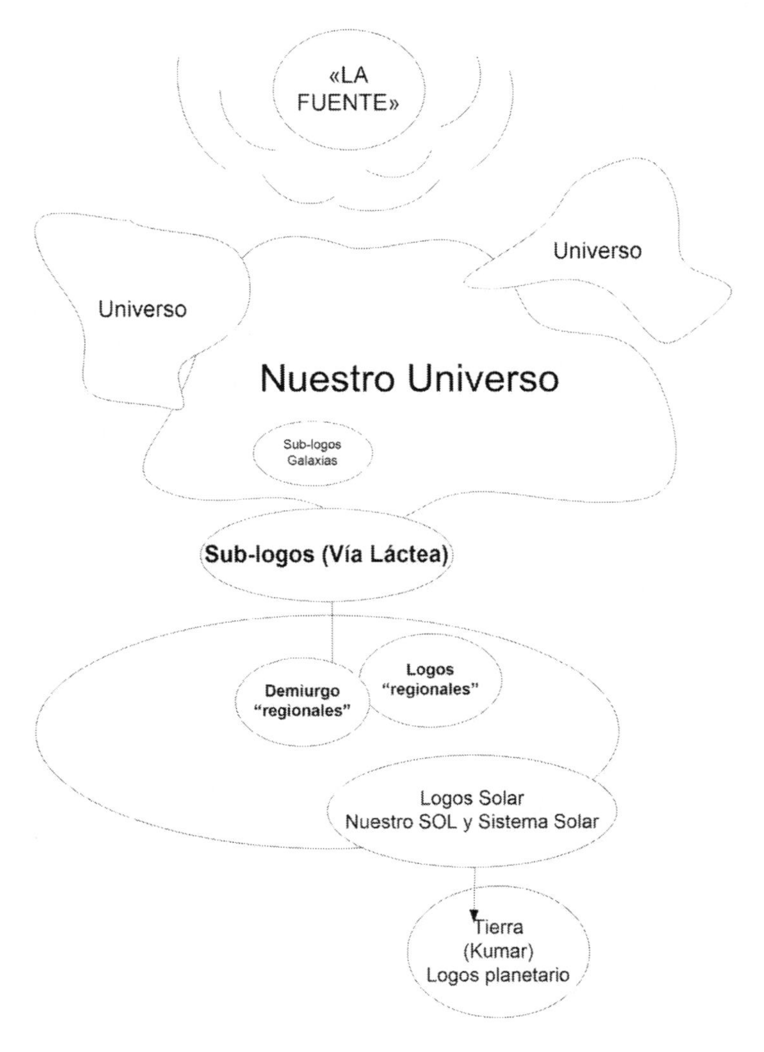

De estos logos cósmicos, nacen otros entes enormes y que toman la responsabilidad de regir y formar galaxias, recogiendo el nombre de "Logos Galáctico", a nivel metafísico. Dentro de cada galaxia, muchos otros seres y partes de la misma se convierten en algo así como "coordinadores regionales", en este caso también en ambas polaridades, hablando del *Logos* "local" de nuestra zona y del *Demiurgo* como los dos entes que son los que rigen toda la vida consciente de la zona de la Vía Láctea donde esta nuestro sistema solar.

## Logos con potencial creador

Ahora, ¿de dónde entonces sale la "vida consciente" que da lugar a nuestra existencia? Si hablamos de todo lo que existe en la Vía Láctea, todos los seres, Yo Superiores, entes y energías han "nacido" de nuestro Logos Galáctico. Así, podemos imaginar cómo enormes entes, con potencial creador inmenso a nuestra percepción, tienen la potestad de crear y generar de ellos mismos "vida consciente", "seres" y "Yo Superiores", que luego animan y son los que dan "vida" a razas, grupos, especies y entes como, en este caso, los seres humanos.

Igualmente, de nuestro logos galáctico, nacen "coordinadores regionales" para las diferentes zonas en las que se divide toda galaxia, siendo el *Logos "local"* y su contrapartida, otro ente que en ciertas enseñanzas gnósticas es llamado el *"Demiurgo"*, quienes tienen a su vez la potestad de crear vida consciente, cada uno de ellos en una de las dos polaridades, con cargas y energías positivas o con cargas y energías negativas.

Así, todo ser que "nace" de la Fuente o de sus Logos, nace por defecto en una de las dos polaridades existentes, o con una carga energética determinada de una de esas dos polaridades. Luego, en el proceso de crear la estructura evolutiva de las diferentes razas y especies conscientes que existen en la Vía Láctea, nos encontramos con especies y razas que tienen una estructura "negativa" porque han nacido del Demiurgo (una forma de llamar a este macro SER o ente) o con aquellos que tienen una estructura de carga positiva porque han nacido de uno de los Logos.

*Fuente → Logos Cósmico (universo) → Logos galáctico (Vía Láctea) → Logos / Demiurgos "regionales" → Jerarquías intermedias → Yo Superiores positivos/negativos → Espíritu, Alma, Cuerpos sutiles, cuerpos físicos*

Espero que este primer esquema ya nos permita entender algo que trataremos luego con más detalle, y es el concepto de diferentes razas "hostiles" y "negativas" a nuestra percepción, que controlan nuestro planeta, pues debido a su origen y de dónde vienen, algunas presentan un comportamiento, o una visión de la Creación, opuesta o "negativa" respecto a nosotros, pues, literalmente, han nacido en una polaridad energética con este tipo de configuración y carga energética y están bajo la jerarquía del Demiurgo "regional" de la zona de la galaxia donde nos encontramos.

## Polaridad evolutiva y dualidad: Entes, seres, energías, Yo Superiores positivos o negativos

Imagino que muchos conocéis que el símbolo para representar "la Fuente", aquello de donde "todo" emana es un triángulo. Se lo asocia con tres fuerzas, energías y cualidades, y, aunque entendamos y percibamos la existencia como un juego de opuestos, una realidad donde vivimos dentro y bajo el concepto de la dualidad, en realidad el juego tiene siempre tres partes.

No importa que sistema filosófico, religioso, cultural, esotérico o metafísico leáis, todos los fenómenos que existen surgen de la interacción de tres fuerzas. Una se describe como de naturaleza activa, creadora; la segunda como pasiva, receptora; y la tercera como mediadora y neutra. Huelga decir que en el cristianismo, estas tres fuerzas están expresadas en las tres partes de la Trinidad –Padre, Hijo y Espíritu Santo– también se les asignan las características de poder o voluntad, amor y sabiduría. En la alquimia, todo se expresa como hecho por mezclas variantes de sal, azufre y mercurio. En el Sankhya hindú, son los tres gunas –Rajas, Tamás y Satva los que forman todo lo que existe, mientras que en el Hinduismo las fuerzas eran nuevamente personificadas como Shiva, Parvati y Vishnu; y cerca de allí, en China se mostraron en la interacción del Yin y el Yang bajo la supervisión del Tao.

En todos estos sistemas la naturaleza de las tres fuerzas es universal, esto es, se considera que penetran en todo, en todas partes y a todas las escalas de tamaño – desde el mundo de los insectos al mundo de las estrellas, y desde el efecto de la luz al del pensamiento de nuestra psique. La ciencia no define ni reconoce una idea general semejante de tres fuerzas, aunque se reconocen ejemplos específicos en el protón, neutrón y electrón, o el ácido, el álcali y los agentes catalíticos en la química.

## Dualidad vs Trialidad

El ser humano percibe la vida y la realidad la que existe como un juego dual de opuestos, blanco vs negro o frio vs caliente, bueno vs malo, activo vs pasivo. Esta percepción dual y limitada es producto de la manipulación sufrida en los albores de la creación del ser humano acotando la esfera de consciencia a dos de las tres energías que rigen el sistema de vida en la Creación. Es decir, aunque veamos las cosas como un juego de opuestos, todo en realidad está formado por tres vórtices, tres energías, tres componentes, y todas las mónadas y partículas energéticas que existen en la Creación los poseen. Pero todos los componentes de energías que existen en el mundo están cambiando constantemente de lugar desde el punto de vista de esta ley de tres, actuando como instrumentos de otros procesos creativos que la ponen en marcha, unas veces algo hace de fuerza activa, otras veces de pasiva y otras veces de mediadora o neutra, y es exactamente este fluir y los cambios constantes los que hacen que la *ley de tres* sea tan evasiva a nuestra percepción, y sepamos comprender y hablar claramente del concepto dual de los opuestos, pero no sepamos encontrar la tercer fuerza equilibrante en la mayoría de las situaciones.

## Cargas y fuerzas positivas vs negativas

Por lo tanto, a pesar de que toda energía, toda octava, toda mónada y todo ser está formado por tres fuerzas, tres vórtices o tres energías, la energía neutra siempre queda al margen de la percepción humana y del entendimiento de cómo funciona la realidad, y, puesto que los otros dos polos sí que están activos y existen también realmente, al estudiar los diferentes grupos, razas, entidades y polaridades evolutivas hablamos siempre de la positiva y la negativa, y vamos a ver ahora como nacen.

Como hemos dicho, existen seres en la Creación con el potencial de crear entes, energías, otros seres, etc. con una estructura de cargas principalmente positivas o principalmente negativas, dando lugar a estructuras evolutivas que llevan a diferentes razas, entes, seres, grupos y especies a tomar un camino evolutivo u otro acorde a la polaridad escogida o con la que han nacido. El destino de toda vida consciente en el universo es llegar al equilibrio entre las tres energías, es decir, al balance perfecto entre las dos polaridades positiva y negativa, pero este camino es largo y no es el punto de partida normal para la mayoría de seres que existimos en la Creación. ¿Qué queremos decir con esto? Que la gran parte de la vida que existe en el universo nace en una de los dos polaridades principalmente, y luego evoluciona hacia el equilibrio, de manera que hablamos, hasta cierto punto correctamente, de entes y seres positivos, y entes y seres negativos, pues están creciendo y avanzando por uno de los caminos existentes y aún no han completado el proceso que les ha de llevar al equilibrio y al balance energético en su composición.

De esta manera, podemos ver como ciertos grupos, seres, razas o entes nacidos o dependientes del Demiurgo forman parte de lo que llamaríamos la *polaridad negativa* de la Creación y aquellos nacidos o dependientes del Logos formarían parte lo que llamaríamos la *polaridad positiva.*

## Servicio a otros (STO) y Servicio a uno mismo (STS)

Así, cuando un YS enlaza con una estructura multidimensional como la que hemos explicado para el ser humano, y que le permite interactuar con los planos inferiores para adquirir experiencias, nos encontramos con la aparición del concepto de polaridad evolutiva también para la parte "encarnada", es decir, el concepto de crecer y avanzar por la polaridad que nosotros llamamos STO (servicio a otros, "positivo", *Service to others* por su siglas en inglés) o la polaridad que llamamos STS (servicio a uno mismo, "negativo", *Service to Self*).

Esta polaridad evolutiva no es otra cosa que la suma de la "carga energética" predominante y existente en el ser humano en sus cuerpos energéticos, o en la raza en cuestión de la que estemos hablando y, para nosotros, solo es aplicable cuando hablamos a nivel de alma y de personalidad. Es decir, una persona puede presentar y mostrar comportamientos y polaridad STS, pero su Yo Superior ha nacido de la parte "positiva" (el Logos), teniendo carga de signo + como la energía constituyente básica de sí misma.

Así, la polaridad de una persona, en un momento determinado de su vida, la expresa siempre la suma de cargas energéticas del alma de la persona y de los cuerpos inferiores, y se puede pasar de una a otra polaridad con trabajo interior. De hecho, hay un dicho o refrán que dice que todo el mundo tienen dos lobos dentro, uno negro y otro blanco, y si preguntas que lobo es el que "gana" en el interior de la persona, la respuesta siempre es: "el que alimentas".

## Características STO vs STS

Y ¿Cuáles son las características que marcan un camino u otro? El primer camino evolutivo, la polaridad "STO" (Servicio a Otros, como hemos dicho por sus siglas en inglés) percibe, en su extremo más ideal y desarrollado, a todos los seres como partes de sí mismo y ama y sirve a todos como método evolutivo, trabajar para ayudar a otros es la forma de avanzar, de ahí que lo denominemos de "*Servicio a Otros*".

El segundo camino evolutivo, la polaridad "STS" (Servicio a Uno Mismo), en su extremo más radical, se percibe solo a sí mismo, y busca apropiarse de la conciencia, energía y recursos de otros para todo aquello que necesita, asimilándolo del resto de seres, de ahí que lo llamemos de "*Servicio a uno Mismo*". Es una percepción que induce a crecer acumulando energía, conciencia, recursos, potencial en uno mismo, a costa de otros, mientras que la otra polaridad se induce a crecer aportando energía a otros, cooperando o compartiendo.

Con esto en mente, podríamos decir que existen dos simples "reglas" que todo ente o persona, que desea crecer mediante la polaridad positiva, debe "cumplir". La primera de ellas es no violar nunca jamás el libre albedrío de otra persona. Debemos estar dispuestos a ayudar y a hacer lo que podamos por los demás, pero siempre que tengamos el permiso para ello, que se nos pida o requiera la ayuda, sin intromisiones no deseadas. Cuando forzamos nuestra ayuda sobre otros, si no ha sido pedida o solicitada de algún modo, nos polarizamos en el modo contrario al que queremos actuar, pues actuamos imponiendo nuestro criterio sobre los demás, pensando que sabemos lo que es mejor para ellos, que ellos mismos.

La segunda regla es la del balance energético: hay que aprender a recibir tanto como se da. Tiene que haber siempre un intercambio y un equilibrio entre lo que sale de uno y lo que le llega a uno; de ahí la importancia de estar abierto a recibir ayuda, recursos o lo que sea cuando se necesita, de la misma manera que uno está dispuesto a dar esa ayuda o recursos a otros cuando nos lo requieren. Cuando ambas reglas son cumplidas y respetadas, aquello que hacemos y ejecutamos con nuestras acciones en la vida hacen crecer "el lobo blanco", hacen crecer la polaridad positiva en nuestro interior, a la vez que la comprensión de las reglas del juego y la consciencia que ponemos en nuestro propio camino de crecimiento aceleran esta evolución por el camino "positivo" de la existencia.

## Polaridad por nivel evolutivo o de consciencia

¿Qué sucede entonces con el resto de la vida consciente que existe la Tierra? En los primeros niveles evolutivos (el reino mineral, el vegetal y el animal), estas polaridades no "existen" conceptualmente para aquellas conciencias que se encuentran en esos niveles. Para los reinos mineral, vegetal y animal no hay un concepto dual de la existencia tal y como el ser humano lo percibe.

Es decir, a pesar de que las divisiones de uno y otro lado están presentes, la elección de un camino evolutivo, hacia lo que llamamos polaridad "positiva" o polaridad "negativa", no se puede dar hasta que no se alcanza el nivel de conciencia correspondiente a un ser individualizado y autoconsciente. De hecho, una entidad del reino mineral, simplemente "es", no hay conocimiento externo de nada que no sea la propia energía creadora de todo lo que existe, en uno mismo. Es un estado puro de "SER", ya que no existe un "HACER" ni los procesos que llevan a ello. Luego, a nivel de flora y fauna, los comportamientos de plantas y animales no muestran tanto una elección consciente de polaridad evolutiva, sino que son un reflejo de los múltiples tipos de comportamientos que existen en la naturaleza que, si deseamos, podríamos llamar positivos y/o negativos, a pesar de ser etiquetas que no tienen validez tampoco para este nivel. Los ejemplos que podríamos poner como supervivencia, altruismo, auto-sacrificio, manipulación, cooperación, cuidado de otros miembros de la especie, sentimiento de responsabilidad, etc., existen como comportamientos y acciones en el mundo animal, pero son puramente mecánicos o instintivos.

Así, hemos de comprender que solo a partir del nivel evolutivo humano, una entidad puede ser consciente de ella misma, por estar individualizada respecto a la mente grupal o alma grupal animal, verse reflejada en otros seres, comprender el proceso evolutivo en el que se haya metido y, por ello, "tener una polaridad" o escoger entonces una polaridad para esa evolución.

A partir de este nivel evolutivo, el nuestro actualmente, uno puede mantener, avanzar y crecer por los diferentes planos, dimensiones y "cursos" por uno de los dos caminos, es decir, por la vía del servicio a otros o por la vía del servicio a uno mismo.

Como hemos mencionado antes, YS con carga positiva marcarán fuertemente el camino de servicio a otros de sus partes encarnadas, y estas, aunque en alguna encarnación o proyección presenten un comportamiento o polaridad STS, pueden cambiar de polaridad. Es el caso de los seres humanos, cuyo YS es de carga positiva y, aunque presente el alma o la personalidad comportamientos STS en algunos momentos, siempre se puede volver a polarizar, mediante el trabajo interior, al camino del servicio a otros.

Por el contrario, YS con carga negativa, mantendrán a sus partes encarnadas en las diferentes razas y especies que existen en esta polaridad a lo largo de todo su periplo evolutivo, por lo que siempre que hablamos de razas "hostiles" y "controladoras" suelen ser razas en servicio a uno mismo, grupos que existen y dependen del Demiurgo a nivel "metafísico" y que actúan bajo una polaridad "negativa" desde el punto de vista energético de la Creación.

## Nutrición energética: Jerarquía de absorción

Seguimos. Estamos llegando a la explicación, paso a paso, de porqué el sistema de vida en nuestro planeta es como es, y cómo hemos llegado hasta aquí. Visto el tema de las cargas energéticas de los YS y las polaridades evolutivas, vamos a ver ahora la cuestión de cómo cada nivel evolutivo se alimenta, se nutre y recibe la energía que necesita para su existencia, crecimiento y evolución.

En realidad, no hay mucho que decir de los reinos de la naturaleza pues sabemos de dónde sale el alimento que nutre a minerales, flora, fauna y seres humanos. Mientras estamos en un estado sólido necesitamos alimento sólido y líquido, lo necesita el cuerpo químico que usamos, ya que el nivel de materialidad que poseemos requiere que la energía, principalmente, llegue a través de alimentos materiales (además del oxígeno y las energías que nos rodean y de las que también nos nutrimos).

Por otro lado, estoy seguro que muchos habéis leído y oído sobre el tema de nutrirse solo de *prana* o energía, habiendo diferentes corrientes y técnicas creadas por personas que han ido desarrollando la capacidad de "vivir sin comer", aunque no sea al 100%, pero poder reducir la ingesta de alimentos sólidos para adecuar su cuerpo al trabajo y la absorción de la energía vital que necesitamos cogiéndola directamente del Sol. Aunque este proceso sea algo prematuro para la mayoría de seres humanos, es algo "normal" para el resto de vida consciente que se encuentra en estadios evolutivos superiores. Así, a mayor nivel evolutivo, menos densa y material es la estructura que te forma, y, por lo tanto, menos elementos en estado "sólido" son necesarios para tu nutrición y supervivencia, llegando, en un punto, a ser necesaria solo la absorción energética para poder mantener el buen funcionamiento de toda la estructura y componentes que se tengan.

Así, para grupos, entes, razas o especies a partir de niveles evolutivos y dimensionales superiores al nuestro actualmente, a nivel energético, su supervivencia pasa por el uso exclusivo de la energía para alimentarse, y, sabiendo que tenemos dos formas o caminos evolutivos, veremos que usan maneras diferentes de conseguirla.

Sabemos, por nuestra experiencia directa en terapia energética con entidades del llamado plano astral y otros seres de diferentes planos no físicos de la Tierra, que la polaridad negativa vive y solo puede vivir de la absorción de la energía de otras entidades o conciencias. Y sabemos también, por experiencia directa por nuestro trabajo con guías y otras entidades que llamamos "de luz", que estas "viven" del intercambio libre de energía y cooperación entre ellas (servicio a otros).

De esta manera, si se pertenece a un grupo, raza o especie que "existe" en el camino que llamamos STO, o positivo, la carga energética que les nutre, para entendernos, es la energía positiva, es decir, partículas y campos cuyo polaridad sea de signo +. En este tipo de energías nos encontramos todas aquellas que tienen sustrato de amor, de emociones positivas, de "luz". Todo aquello cuya composición energética sea de signo positivo, es alimento para entes de esta misma polaridad.

En el lado contrario ya es fácil suponer cual es la situación, pues todo ente cuya composición energética es de signo negativo, necesita energías de esta polaridad para su supervivencia. Por lo tanto, aunque nos parezca algo completamente sin sentido, todas las energías negativas con sustrato de miedo, tales como el enfado, la rabia, la ira, el odio y las decenas de variantes existentes de este sustrato, son como el entrecot al roquefort para un ente STS, pues literalmente, la carga energética negativa de estos campos y formas mentales, emocionales y etéricas constituyen el plato de alimento más nutricional que existe para este tipo de seres que existen en esta otra cara de la moneda.

En general, toda entidad cuyo YS sea de polaridad negativa vive de la absorción de energía de los demás. Toda la energía que estamos generando los seres humanos está siendo manipulada por unos cuantos controladores (humanos y no humanos en posición de poder) que, a su vez, están siendo controlados por entidades negativas de otras razas y especies que están recogiendo esta energía para su nutrición, supervivencia y gestión del sistema de vida, y que llevan en nuestro planeta muchos milenios.

De esta manera, a gran escala, la energía negativa extraída de nuestro planeta (generada por nuestras emociones y pensamientos, manifestada en nuestra caótica realidad) no sirve solo como "alimento" a las entidades que frecuencialmente hablando se encuentran más cerca de nosotros, sino que constituye la base de la pirámide jerárquica sobre la cual están organizadas las entidades "negativas". Es decir, los "peones" del lado "negativo" no son sino "recolectores energéticos" que no tienen más remedio que traspasar parte de la energía a los niveles superiores. Siempre hay una entidad negativa más poderosa que la entidad negativa que nos acabamos de expulsar del sistema energético, y siempre esta otra entidad tiene por encima otra, que es aún más negativa.

La jerarquía, en esa polaridad, evoluciona hasta la cúspide de la pirámide en la que en alguna dimensión o nivel evolutivo, bastante por encima de nosotros, una o dos razas extremadamente poderosas son las receptoras finales de toda la energía generada y recolectada a todos los niveles, en este y en otros muchos sistemas del universo.

Esto significa que, en la cadena de alimentación cósmica, no solo no estamos encima del todo, sino que somos alimento para los que están en otro nivel superior, así como nosotros nos alimentamos de animales y plantas, del aire y del agua. Es así por diseño, y es algo que siempre ha existido. Somos alimento para entidades de otro nivel más alto, así como entidades de nivel inferior lo son para nosotros ya que muchos tipos de entes y razas, que veremos un poco más adelante, usan al ser humano, o mejor dicho, la energía mental y emocional que generamos, como su sustento vital. Y aquí, si empezáis a pensar en la película Matrix, ya tenéis una razón real y concisa de porqué el ser humano es como una pila para otros grupos de orden superior que no vemos ni conocemos. Se nutren de nuestra energía y la usan para nuestro propio control.

En todo caso, por muy revelador o difícil de aceptar que sea esto, tampoco está todo perdido ni estamos tan desvalidos como pensamos o nos quieren hacer pensar, pues lo que ocurre es que, al igual que las plantas poseen una gran cantidad de anti nutrientes y muchas incluso venenos para defenderse de ser devoradas por los animales, y los animales desarrollan mecanismos de defensa, huida o camuflaje para evitar ser comidos por otros animales o también por los humanos, nosotros podemos contar con el conocimiento y con el aprendizaje de cómo estamos siendo usados como alimento para poder también defendernos de ello. Nuestra protección es comprender qué está pasando, y evitar ser pilas de la Matrix, pues no podemos "luchar" físicamente contra algo que no vemos.

## Los motivos detrás de la situación del planeta

Con todo lo que hemos visto hasta ahora, la cosa no tiene mucho misterio y, para decirlo llanamente, nuestro sistema energético no es otra cosa que "comida" y recursos de diferente índole para estas entidades. Somos eso, un vivero, un supermercado y una raza creada para servir a los intereses de otras. Es algo que nos han corroborado centenares de veces en los años que llevamos haciendo sanaciones, que hemos visto a través de múltiples encuentros y trabajos con todo tipo de entes y seres, y que muchas líneas de conocimiento ancestral nos han explicado de una forma o de otra. Es algo que quizás a algunas personas les cueste entender, y ya no digamos aceptar, pero básicamente eso es lo que somos: alimento nutricional y recursos para entidades de un nivel de conciencia mayor que el nuestro (en muchos casos) pero en polaridad contraria.

Así que, ¿qué forma más fácil de generar un festín de energía negativa que tener a 7500 millones de personas en estado constante de preocupación, miedo y todo tipo de energías asociadas? ¿Qué tal si generamos crisis económicas, guerras, problemas a escala global, etc., que no pueden ser de ninguna forma solucionados por personas "normales"?

¿Qué tal si ayudamos y manipulamos para poner a las personas con tendencias más negativas en posiciones de máximo poder para atar y manipular a todos energéticamente?

Si volvemos a las primeras páginas del libro decíamos:

*Estadísticamente, por pura matemática, en un mundo normal, gobernado por el libre albedrío de sus habitantes, los sucesos, acciones, situaciones o experiencias que suceden y se manifiestan a nivel global deberían comprender aproximadamente un cincuenta por ciento de eventos positivos y un cincuenta por ciento de eventos negativos. Si partiéramos del supuesto de que las personas tendemos a generar y a trabajar para originar elementos positivos en nuestras vidas, que indudablemente tendrían algún tipo de repercusión a nivel global, podríamos vivir en un planeta en el cual el setenta u ochenta por ciento de las cosas que sucedieran podrían etiquetarse como "buenas". Sin embargo, creo que estamos de acuerdo en que ocurre más bien todo lo contrario.*

*...Una de las razones de esta situación es sutilmente deducible: en algún nivel, nuestra realidad y esos sucesos parecen estar manipulados para que provoquen exactamente lo contrario de lo que de forma natural, a priori, sucedería. Quedan incluidas las teorías de que la maldad es inherente al ser humano, que es posible, que somos una raza que tiende al caos, a la autodestrucción, al conflicto. Esto es correcto, principalmente ya que estamos polarizados de esa manera, y porque es parte de nuestra naturaleza, o eso creemos. Pero yo no conozco a nadie a quien no le guste ser feliz y vivir libre de problemas o, por lo menos, libre de problemas de una escala tan enorme que no pueda solucionar de ninguna manera. A esos niveles, no se entiende la situación del planeta si no es a través de alguna forma de distorsión y manipulación, consciente o inconsciente, de la deriva de la humanidad, con o sin un fin concreto.*

*El problema es que, cuando uno se pregunta de dónde viene esta hipotética manipulación, en términos macro sociales, macro económicos y macro energéticos, cuando empiezas a indagar, excavar, sortear y digerir información, a separar cada pequeño trozo de verdad de miles de trozos de desinformación o información contradictoria, desembocas inexorablemente en teorías, hipótesis y supuestos sobre conspiraciones, grupos de manipulación secretos (y no tan secretos), niveles de conciencia superiores, otras dimensiones, entidades de otro tipo y otros planos frecuenciales, etc. Y claro, aquí es decisión de cada uno dónde poner el límite de lo que se quiere o se es capaz de creer.*

Con lo que ahora ya empezamos a tener respuestas al porqué de nuestras preguntas iniciales, y vamos a seguir dando muchas más que nos ayudarán a entender los detalles de este juego de la vida hasta niveles que, hasta ahora, pocos de nosotros quizás habíamos llegado a comprender. Y es que, es cierto, muchas personas están donde están en la escala de poder porque son usadas como marionetas para controlar al resto de la población, ignorante, en muchos casos, de lo que está sucediendo. El mundo está controlado por psicópatas, y personas claramente "oscuras", manipulados por entidades negativas superiores, para su propio provecho. Somos las pilas y los generadores de energía que salían en la película *Matrix*, no para máquinas, tal y como nos lo mostraban, sino para seres de un nivel evolutivo superior, que han escogido nuestro planeta como reserva de alimento y que están haciendo todo lo posible para que lo sigamos siendo.

## Sobre las limitaciones del ser humano y de las razas que las provocaron

El cuerpo que usamos no es producto de una evolución natural, sino que ha sido manipulado sucesivas veces por razas y en formas que diversas culturas de la antigüedad dejaron reflejadas en sus escritos y legados para nuestro conocimiento. La historia de cómo se produjo y porqué esta manipulación es larga, compleja e interesante, y nos da muchas pistas sobre cómo hemos llegado a ser quienes somos, pero no es necesario conocer el detalle para entender el modelo de gestión de la humanidad que implantaron en nosotros.

Así, cuando el ser humano, el cuerpo físico que usamos, fue manipulado genéticamente hace muchos miles de años por las razas que conocemos como Dracos y Anunnakis, entre otras, para propósitos que ya hemos mencionado, fue dotado del potencial latente para también llegar a cotas muy altas de desarrollo evolutivo por las leyes del balance, del equilibrio y de los procesos que rigen la vida en la Creación. Es decir, no se puede crear o destruir algo del todo sin dejar latente la posibilidad de que aquello que se crea o se destruya pueda revertirse, sea con un cierto esfuerzo, trabajo o ayuda, pero siempre ha de estar latente la posibilidad de que pueda producirse un proceso de transformación que dé la vuelta por completo a aquello que ha sido limitado. En este caso, lo limitado, fue el potencial humano, a través de su vehículo físico, emocional y mental, pero no eliminado, por lo tanto, en todos y cada uno de los seres humanos está latente el potencial infinito de todos los niveles que nos componen.

A nivel físico, el ser humano tiene ADN que podría despertar capacidades literalmente "sobrehumanas", ya que poseemos ADN, de muchas razas, "dormido" en nosotros. A nivel de cuerpo emocional y mental, tenemos potenciales también latentes que podrían darnos un dominio de la estructura de la realidad y un control de la misma, que ahora no tenemos, y que están en proceso de ser, igualmente en algún momento, activados.

En este caso, el despertar y reversión de las limitaciones que se impusieron a nuestra especie cuando el cuerpo físico que usamos, y las estructuras mentales y emocionales que tenemos, fueron adaptadas a las necesidades de aquellos "dioses de la antigüedad" (las diferentes razas que intervinieron en las sucesivas modificaciones de nuestro cuerpo), requiere del trabajo interior de cada persona, guiados por la parte de ellos que es consciente de esas limitaciones, y que conoce aquello que debe ser modificado, despertado o sanado, para que este proceso se ponga en marcha. Es por esa razón que ya hemos explicado que nuestro Yo Superior, y partes de nosotros que, por derecho propio y diseño de la estructura multidimensional de aquello que somos, son los encargados de ir dando los pasos e ir moviendo los hilos para que, desde lo más profundo e intangible, hasta lo más físico y externo, esta transformación se vaya dando.

Es evidente que no hay demasiadas personas, en estos momentos, que estén preparadas para revertir todos aquellos cambios y limitaciones sufridas en su totalidad, algo que sería un proceso relacionado con la escala de "tipos de hombres" de la que hablaba Gurdjieff en sus escritos y libros, pero eso no quiere decir que no estemos, consciente o inconscientemente, listos individualmente para revertir aquello que pueda ser revertido, y para lidiar con las limitaciones impuestas a cada ser humano por el sistema de control en la justa medida en que las capacidades y estado evolutivo actual de cada uno lo permita.

Por otro lado, a todos los seres humanos se nos bloquea siempre en la medida en la que el sistema percibe que somos un peligro potencial de una u otra forma, cosa que luego sirve, a nivel evolutivo, para que cada uno de nosotros sane sus propios bloqueos y limitaciones, y eso nos haga crecer como personas. Así, mientras que se permite inicialmente que se instalen y se lleven a cabo esas manipulaciones en todos nosotros (por leyes y procesos que posiblemente no lleguemos a comprender aún se permitieron en su día), siempre es para que sirvan para detonar procesos de cambio interior que nos lleven a cada uno a expresar lo mejor que tenemos dentro.

En estos momentos hay básicamente cuatro razas que están gestionando la vida en la Tierra, y que la mayoría de nosotros conocemos con los nombres de Dracos, Anunnakis, Mantis y una especie insectoide que tienen un nombre que se parece a algo así como "Zul" (cuando lo oyes fonéticamente). De ellos dependen legiones de otras subespecies menores que tienen también diferentes formas de insectos en su mayoría, y además, de ellos dependen también lo que solemos llamar "sombras", "entidades negativas menores", "demonios", "djinns", o que yo suelo catalogar como entidades interdimensionales por su facilidad para moverse entre planos frecuenciales.

Estos "sub-alternos" provienen de los planos no físicos de sus respectivos planetas de origen (los de las cuatro grandes razas principales) y vinieron aquí para conquistar y obtener recursos para su existencia. En estos momentos, nuestros mayores oponentes, para la humanidad, son los llamados Anunnakis y Dracos. Estos últimos son una raza antigua que llegó aquí de la constelación Alfa Draconis, y de Orión, y son los iniciaron todo el proceso de manipulación genética, culminado por Anunnakis, que terminó en el *homo sapiens*.

En la película *"El Ascenso de Júpiter"*, podéis ver algunas de estas razas, pero las tenéis básicamente en todas las series de ciencia ficción, e incluso dibujos animados. Tal y como lo entendemos, no son físicos como nosotros, pero están dentro del rango frecuencial y se mueven en el plano físico en la región del ultravioleta, en el etérico y en el mental. Estos Dracos y Anunnakis tienen todo el sistema de vida en la Tierra bajo su control, y, como tal, son los más peligrosos. Son las serpientes, reptoides y dragones "negativos" que muchas personas ya ven abiertamente, en visiones y percepciones extrasensoriales, aunque pueden adoptar cualquier forma, y están en nuestra literatura, simbología y mitos desde hace miles de años, pues siempre han vivido entre nosotros (no tenéis más que ver la escultura que hay en una sala del Vaticano que los muestra, como una representación del poder que tienen sobre las instituciones que existen en nuestra sociedad).

Si ahora nos atrevemos a hablar abiertamente de ellos es porque hay una cantidad cada vez mayor de personas que, por los cambios internos en ellos, y por los cambios en la estructura y frecuencia del planeta, están empezando o llevan tiempo percibiéndolos o sintiendo su presencia, y, como tal, es necesario darle validez para contrarrestar el control de daños y desinformación que trata de ridiculizar y mantener esto bajo control y sin salir a la luz. En todo caso, las razas en control saben manipular muy bien la parte mental y emocional del ser humano, esto último algo que ellos no tienen, emociones, y por lo tanto siempre serán fríos, arrogantes, con sentimientos de superioridad, etc., hacia nosotros.

## Comprendiendo mejor el tablero de juego

La razón principal por la que no tenemos aún el potencial de librarnos de las grandes razas que gestionan el sistema de vida en nuestro planeta es que tienen un agarre brutal y profundo sobre este inconsciente colectivo. Debido a que hay muchas personas, sabiéndolo y sin saberlo, que están conectando, llamando, vibrando, o pidiendo ayuda a diferentes formas, energías, egregores, "dioses", etc., creados por estas razas, estamos sosteniendo, sin ser conscientes de ello, el permiso que les hemos dado, desde la antigüedad, para que puedan mantenerse en control. Básicamente, cualquiera de estos Dracos, mantis, Anunnakis y demás dicen algo así como *"no podéis echarnos porque hay muchas personas que siguen clamando nuestra ayuda"*, mientras que en el otro bando dicen *"si, pero esas personas no saben que están clamando la ayuda de aquellos que les someten y manipulan, y que están siguiendo engañadas para que os permitan estar aquí"*.

Básicamente, ya os podéis imaginar que las peticiones de ayuda o de conexión que se les hacen están imbuidas en la mayoría de religiones, sistemas de creencias, plegarias y ritos del planeta, donde, al solicitar asistencia de un Yahvé y sus derivados, de un dios tal, o de un dios pascual, no hacemos más que pedir que sigan conectados y presentes en nuestro sistema de creencias aquellos que en su día se hicieron pasar por esos dioses arquetípicos, lo cual les proporciona ese agarre que os comentaba directamente a la parte central del inconsciente colectivo, desde donde se gestionan los arquetipos más importantes que el ser humano usa para la proyección de la realidad consensuada y general.

## Una limpieza a cuenta gotas

Es por esta razón que limpiar el inconsciente colectivo de nuestra especie se hace tarea titánica, y solo lo vamos consiguiendo a cuentagotas, sumando poco a poco, conocimiento y consciencia al porqué de la situación planetaria y de porqué cuesta tanto "deshacerse" de los que frenan este camino de crecimiento que estamos intentando transitar. Ahora mismo, ninguno de nosotros podemos desmontar estos ritos, religiones, plegarias y peticiones que millones de personas en el mundo hacen a diario, pero sí que podemos ir siendo conscientes poco a poco de lo que significan estas peticiones a todo aquello que no sea nuestro propio ser, nuestro propio Yo Superior, nuestra propia "chispa divina" interior. La ayuda que se necesita, se solicita "hacia dentro", hacia la Fuente y la divinidad presente en nosotros mismos, ya que es el canal directo hacia los recursos, conocimientos y herramientas que cada uno precisa.

Cuando se solicita hacia afuera, la llamada la responde aquello que está más acorde a la vibración de la persona, lo cual a veces no es del todo lo que está alineado con su bien mayor, ni con la vibración-consciencia-ser que la persona cree que va a responder. Como todo, forma parte de lo que nos han enseñado a hacer, buscar todo fuera, y pedir ayuda siempre fuera, y hemos de hacernos conscientes que sigue siendo necesario hacer lo contrario, trabajar desde dentro, pues no hay nadie que no tenga un canal directo con cualquier fuerza alineada con los poderes más elevados de la luz, amor y verdad, si lo hace desde la parte suya que es pura luz, amor y verdad.

# Segunda parte: cómo funciona el mecanismo de control

Confío en que más o menos tengamos claro las razones por las cuales el mundo está como está, ya que ahora vamos a explicar y a tratar de comprender por qué no nos hemos dado cuenta hasta ahora y no hemos podido cambiarlo. ¿Tan complicado es quitar del poder a los que nos gobiernan públicamente o desde las sombras? ¿Tan difícil es desmontar el sistema actual, social, económico, educativo, que no nos produce ningún beneficio? ¿Tan fáciles somos de manejar y manipular? ¿Cómo es posible?

Pues bien, es posible, y los que nos controlan entienden muy bien los mecanismos a través de los cuales esto sucede. De hecho, hasta que no nos conozcamos a nosotros mismos, poco vamos a poder hacer para cambiar la realidad exterior y el estado del mundo en el que vivimos.

## Volviendo al sueño

Decía que, como tantos otros millones de personas, somos usados y manipulados como generadores energéticos, y se nos entretiene pensando en otras cosas de forma que no podamos darnos cuenta de cuál es la verdadera situación en la que nos encontramos. ¿Cómo es posible que millones de personas estén sometidas a ese control de forma voluntaria? ¿Cómo es posible que no nos rebelemos al ver que el conjunto del planeta está yendo en la dirección equivocada?

Primero, porque el sistema de control es muy efectivo; segundo, porque no hay demasiadas personas que sepan que están siendo controladas; tercero, porque a los que saben que son controlados se los mantiene a raya, y cuarto, porque una gran parte de la población es muy fácil de dominar y se deja controlar a gusto.

## Portales Orgánicos, personas sin alma y otros jugadores

Pero ¿Qué significa eso de que una parte de la población sea fácil de controlar? Hemos mencionado un par de veces a George Gurdjieff a lo largo de las páginas anteriores. Fue uno de los místicos de principios de 1900 más importantes de toda la enseñanza esotérica y de escuelas de misterio que tenemos hoy en día. Formado en las tradiciones y enseñanzas antiguas que recibió en Asia Central, Gurdjieff dijo una vez:

> Un porcentaje considerable de las personas que encontramos en la calle están vacías por dentro, es decir, están actualmente muertas. Somos afortunados de no poder verlo y de no saberlo. Si conociéramos el número de personas que están realmente muertas y el número de personas que gobiernan nuestras vidas en estos momentos, nos volveríamos locos de horror.

En otros libros, este tipo de personas son llamadas *"portales orgánicos"*.

El tema de los portales orgánicos ha sido un tema caliente en los últimos años desde que la escritora Laura Knight empezara a usar este nombre para designar a un tipo de personas determinadas, con un tipo de características concretas, energética y evolutivamente hablando. No es un nombre muy afortunado para empezar, pues realmente es algo peyorativo cuando estamos hablando de seres humanos, que estén en el nivel evolutivo en el que estén, no dejan de estar avanzando, creciendo o aprendiendo, por mucho que estén en procesos, estados y niveles de vibración y consciencia más asociados a la parte "negativa" de la realidad que a otra cosa.

## ¿Qué significa entonces que una persona es un portal orgánico?

Significa varias cosas, al menos tal y como podemos definirlo para entendernos con una terminología que nos restringe muchas veces la expresión real de conceptos energéticos. Significa que, en un cuerpo humano, en un vehículo físico y orgánico, hay un "ocupante", un alma, en este caso, cuyo nivel evolutivo es tremendamente bajo, es negativo en su polaridad, y además puede ser simplemente un canal para entidades para manipular a otras personas usando o acoplándose a este alma de bajo nivel en ese cuerpo.

Así, para que lo entendamos, cuando hablamos de "almas" de bajo nivel nos referimos a dos cosas, o bien almas que acaban de individualizarse de las mentes grupales del reino animal y han dado el salto al reino humano, donde entonces un Yo Superior puede enlazarse a ellas e iniciar su andadura en este nivel en el que estamos, o bien significa que es un alma "artificial", fabricada o construida por entidades negativas, con energía de alguno de los planos superiores, para animar un cuerpo físico y su estructura energética sin que haya ningún Yo Superior enlazado o conectado al mismo.

Por esta razón, en el primero de los casos, esas personas, si tienen un YS enlazado, pero el alma justo proviene de los niveles inferiores, es decir, del reino animal, esa persona tiene por delante un camino evolutivo en el que dejará de ser portal orgánico en algún momento, en el segundo caso, si se trata de una persona con un símil de "alma" creado artificialmente para dotar de apariencia de vida a un cuerpo, y entonces poder ser usado como caballo de Troya por entidades en la sociedad, ahí no hay nada que hacer, y cuando el cuerpo muere, el alma artificial se desintegra, y la entidad que la controla busca otro nuevo vehículo para hacer lo mismo.

¿Cómo es posible entonces que nazcan nuevos cuerpos que no tengan asignado ya de antemano un Yo Superior que vaya a enlazar con ellos?

En general, este tipo de cuerpos vienen por defecto en algunas líneas genéticas donde ya los padres son portales orgánicos, de forma que, tengan o no YS, el cuerpo que nace de ellos, genéticamente hablando, por las limitaciones que posee, ya no es usado ni buscado por ningún YS para ser usado como vehículo evolutivo. Al remontarnos al origen de todo esto, nos encontramos con que fueron simplemente algunos modelos de seres humanos, que tras las primeras modificaciones genéticas por Anunnakis y otras razas, sufrieron algunos "deterioros" en sus configuraciones y fueron dejados de lado en la cadena de perfeccionamiento de los cuerpos físicos y energéticos que terminaron siendo el *homo sapiens sapiens*, pero que se necesitaban para labores que entonces nadie más quería, las más complicadas, negativas y demás en aquellos tiempos en los inicios de la creación de nuestra especie.

Al irse juntando a veces ADN de portales orgánicos con ADN de personas que no lo son, hoy en día no hay prácticamente ninguna diferencia, excepto en el desarrollo y potencial del sistema energético, mental, emocional, etc., ya que si el alma que anima esos cuerpos es nueva, de incipiente nivel evolutivo, o artificial, el comportamiento, la personalidad, y todo el conjunto de la persona de una forma o de otra manifestará este tipo de configuración.

Portales orgánicos, de esta manera, son los responsables de algunas de las atrocidades que vemos en las noticias, pues tienen muy limitadas las funciones empáticas, relacionales, amorosas, etc. Pero las pueden imitar muy bien, por observación y por mimetismo, así que, en general, es difícil darse cuenta si tienes uno o no al lado, a no ser que interactúes frecuentemente con la persona, sea en la familia o sea en el trabajo.

¿Por qué pudiera encarnar una persona con un portal orgánico? Por lecciones y necesidades evolutivas, todo tiene su función en la Creación, y este tipo de seres humanos tienen la capacidad de detonar en nosotros todo tipo de reacciones que nos hacen darnos cuenta de aquello que necesitamos sanar o aprender o trabajar, de manera que es por eso, que si un YS escoge pedir que un portal orgánico encarne o forme parte de su núcleo cercano, es porque ve el potencial evolutivo que presenta, aunque no sea fácil su gestión en el día a día para la personalidad de quien tiene que convivir o trabajar con ese portal orgánico.

En general, los portales orgánicos de la segunda clase, los que tienen "alma artificial", pueden desaparecer de nuestras vidas de muchas formas una vez nuestro aprendizaje con él o ella ha sido completado, pues el YS no necesita permanentemente una unidad de catalizantes tan precario y complicado con nosotros.

Y, por otro lado, no todas las personas que pudiéramos tachar de portales orgánicos lo son, pues aunque existan comportamientos similares, hay muchos factores por los cuales un ser humano pudiera parecerse en carácter, trato, personalidad y proceso evolutivo a un PO no siéndolo. Tampoco podemos ir preguntando si tal o cual persona es portal orgánico, pues necesitamos permiso de su

YS, si lo tiene, para saberlo, ya que de lo contrario, nuestro YS solo nos responderá basado en premisas del efecto que tiene sobre nosotros, y no de la lectura real del alma de la persona que queremos consultar. Si no tiene YS, tampoco el nuestro lo sabría, pues no se va a meter en la estructura energética de otro cuerpo físico sin permiso para hacerlo, ya que no le concierne. Pero sí que podemos saber si nuestro YS, para esta encarnación ha solicitado tener relación con algún PO en nuestro núcleo cercano, pues entonces nos dirá quién es, ya que nosotros mismos, en otro nivel, hemos pedido la presencia de uno de ellos para nuestro avance y crecimiento.

# Los mecanismos del ser humano que facilitan la manipulación de la sociedad

Cuando las razas que crearon y manipularon el vehículo físico que ahora usamos buscaron soluciones y maneras de mantener la humanidad "bajo control" se optó por la manipulación energética de la realidad para que el ser humano no se diera cuenta de que estaba siendo manipulado y controlado. Básicamente, de nuevo, volvemos a la película Matrix como analogía, donde, en las mentes de las personas, se proyecta "el mundo" que creen percibir como real. Algo así es lo que sucede, a partir de la manipulación del inconsciente colectivo y de la psique de las personas.

Es un hecho que, para muchas personas, aún no está claro que ellos mismos son los responsables del entorno que llamamos nuestra "realidad". Y es un hecho que, al ser humano, desde los albores de su creación, le han imbuido en la programación que lleva en la psique que la realidad exterior existe independientemente de que uno esté ahí para crearla, o verla o no. Esto tiene una base semi-distorsionada, pues lo que crea la realidad es la energía proyectada y condensada de la consciencia, y hay muchos tipos y niveles de consciencia que forman lo que nosotros vemos en nuestro día a día como el mundo terrenal y tangible a los sentidos. Si uno no está presente en un hecho, ¿significa que no ha tenido nada que ver con el mismo? No, pues siendo parte del mismo campo de energía que ha servido para manifestar ese hecho, hasta la partícula más ínfima que toda persona proyecta desde su estructura emocional, mental, causal, etc., es tomada como material para formar la estructura de la existencia. Esto, evidentemente, nos lleva a pensar que, de alguna forma, todos somos responsables de lo que está sucediendo a nuestro alrededor a todos los niveles, pero hemos de ajustar esta afirmación a que existen muchos niveles, y algunos de ellos están manipulados o escondidos al conocimiento del ser humano, además de que existen mecanismos que no están bajo control de consciencia humana alguna, y que también forman parte del entramado del plano físico.

En todo caso, solo conociendo cómo funcionan todos los procesos que te permiten poseer un entramado para existir y tener esta experiencia terrenal, podremos comprender nuestro papel como co-creadores del mismo, y podremos comprender que el mundo como tal no existe como es porque sí, sino porqué el conjunto de todo lo que está vivo y consciente en el mismo ha hecho que así se manifieste. Siendo tu parte de ese conjunto, el mundo, de alguna forma, y en su justa medida, es como es porqué tú también has tomado parte en darle la forma que tiene.

## Componentes de la estructura mental humana

Como hemos dicho, el ser humano es un ser pensante cuya capacidad cognitiva depende de varios componentes y elementos que posee en el conjunto de la estructura que, de forma genérica, se denomina la psique. Esta psique, esta habilidad de poder entender, expresar y manifestar conceptos genéricos y abstractos, en formas racionales y concretas, determina así mismo las formas en las que los procesos de manifestación del mundo en el que vivimos funcionan para darle un sentido a la experiencia terrenal con algo que, nuestro vehículo físico, considere válido, sólido y real.

Los componentes que forman la parte mental son, como ya conocéis, varios, empezando por el cerebro, como la unidad de procesamiento del cuerpo físico, seguido por las esferas mentales, que dotan al cerebro del software para su gestión adecuada, y luego las capas y cuerpos asociados y relacionados con el plano mental, como son la tercera y séptima capa del campo electromagnético que llamamos aura, y que se ubican dentro del conjunto que denominamos cuerpo etérico, y por supuesto el cuerpo mental, como responsable último de la conexión con el mundo de las ideas, con el mundo de los conceptos, arquetipos y conocimientos, que dotan al conjunto de la experiencia humana del campo morfogenético, de las plantillas, y de los moldes y datos, necesarios para poder expresar la vida de la forma consciente en la que se está llevando a cabo.

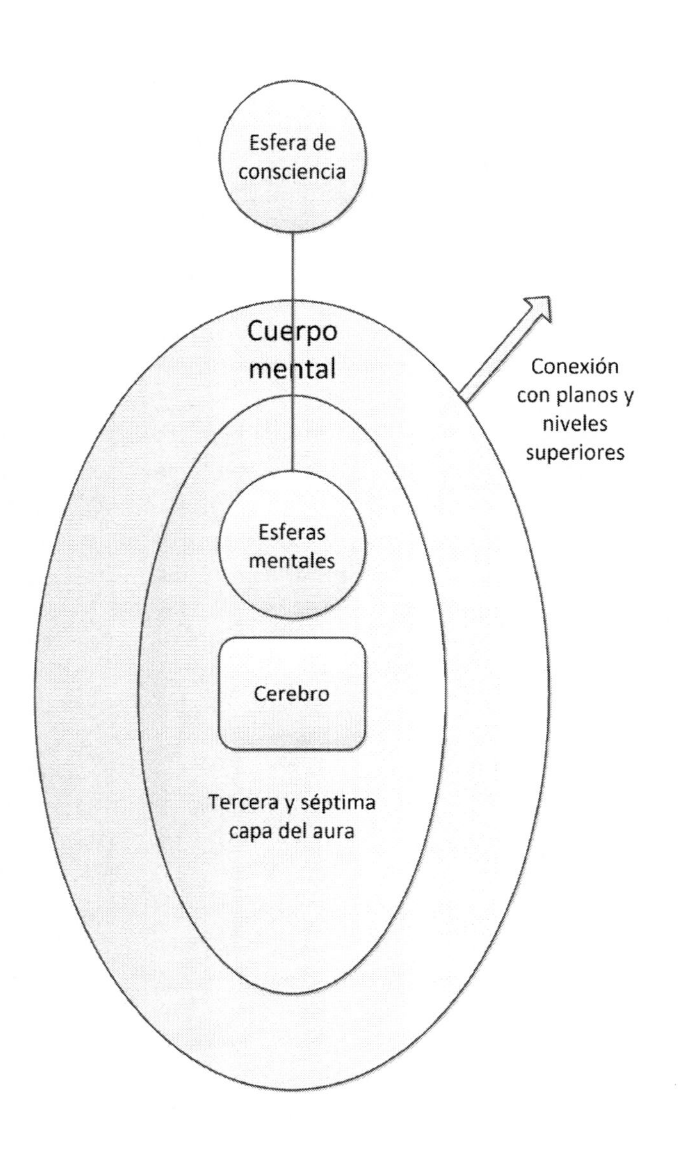
Esfera de consciencia
Cuerpo mental
Conexión con planos y niveles superiores
Esferas mentales
Cerebro
Tercera y séptima capa del aura

## Una estructura creada y manipulada durante la modificación genética del ser humano

Para entender las funciones que ejecutan cada una de las partes, es importante tener en cuenta que el ser humano fue diseñado expresamente de esta forma para que cumpliera un propósito, y, como veremos luego, el hecho de haber sido concebidos con un propósito asociado al servicio a otros grupos y seres de fuera de nuestro planeta, nos ha dotado de unas características que además les proporcionaban a ellos la forma de gestionar y mantener bajo control al conjunto de la raza humana.

Como tal, algunos de los componentes que forman nuestra parte cognitiva han sido reducidos en potencial, como las glándulas pituitaria y pineal, mientras que otros componentes han sido introducidos, como el programa ego, que veremos también. Asimismo, se consideró necesario imbuir una serie de programas de software en las esferas mentales para que pudiéramos entender y descodificar las cosas acorde a las reglas y deseos de aquellos que las gestionan y, a partir de aquí, poder tener los medios para la manipulación y modificación de la psique del ser humano y que este no pudiera escapar de la misma, pues no tendría herramientas, no las tuvo durante muchos milenios, para poder el mismo desprogramarse y eliminar parte de esos programas y sustituirlos por otros.

## La mente humana y su desconocimiento total por parte de la ciencia oficial

La realidad de la mente humana es mucho más compleja de lo que nuestras ciencias cognitivas actuales son capaces de explicarnos. En general, se considera a la mente un subproducto del cerebro, ya que no es posible detectar energéticamente el campo y la energía cuántica que la forma, en forma de esferas. Tampoco se comprende que la mente no puede funcionar si no tiene el repositorio de datos y vivencias que es el cuerpo mental y sus diferentes niveles de profundidad, y que cuando hablamos de conceptos tales como el subconsciente, no nos estamos refiriendo a una arquitectura abstracta y poco definida, que varía según quien la describa, sino a una realidad energética que es percibida perfecta y nítidamente más allá de los sentidos, y que tiene una estructura completamente clara en cuanto a funciones y responsabilidades en el conjunto de los procesos cognitivos y decodificadores de la realidad humana.

Por esta misma razón, ni la neurociencia ni la psicología en todas sus ramas, son capaces de ir más allá a la hora de comprender el poder de la mente y de la estructura mental energética de las personas, ya que desconocen por completo, salvo raros individuos que se han aventurado en su estudio a nivel metafísico, las partes que dan sentido al funcionamiento de lo que compone la personalidad del ser humano. Así, nunca nos han hablado del patrón de conducta, una lámina que energéticamente presenta la forma de un tablero de ajedrez ubicada en las esferas mentales a la altura del cuerpo calloso y que determina la forma en la que nos comportamos, nunca nos han hablado en profundidad, a no ser que hayamos leído por ejemplo a Gurdjieff o tengamos nociones del psicoanálisis de Jung, del tema de los Yos o subpersonalidades, del Yo Único, del Yo observador, etc.

Nunca nos han hablado de la esfera de consciencia y su ubicación en el plano mental conectada y formando parte del cuerpo mental del ser humano, de cómo posee una consciencia artificial que nos da la ilusión de la personalidad por su fragmentación en múltiples puntos y de la consciencia real que subyace bajo la misma, conectada y siendo el punto de entrada a una consciencia mucho mayor que llamamos, en nuestra terminología, el Yo Superior.

Todos estos componentes y funciones son partes del entramado que nos permitirá entender mejor, una vez los veamos en detalle, los mecanismos que tenemos para entender el mundo que nos rodea, ya que, una vez comprendamos esto, podremos entonces pasar a explicar que el mundo que percibimos es a su vez una creación de estos propios mecanismos, en un bucle sin fin que se retroalimenta, por supuesto con múltiples injerencias internas, para dotar al ser humano de una experiencia ilusoria y maleable, si se sabe cómo.

Así que hemos de comprender el funcionamiento de nuestra mente para entender el funcionamiento de la realidad.

## El programa ego

En la mayoría de los libros espirituales, el ego tiene bastante mala fama. La razón es que el ego, que es el programa insertado en nuestra mente para gestionar todos sus procesos, nos proporciona, en cierta forma, un sentimiento de diferenciación del resto de las personas. A nivel práctico, el ego no es más que la herramienta que nos ayuda a organizar los diferentes aspectos de nuestra personalidad de forma que podamos funcionar en el mundo, ser parte de él, interactuar en todas las situaciones de la realidad y desenvolvernos con cierta soltura en todo lo que hacemos. El ego es literalmente un "programa", haciendo la analogía con un software, pues tiene unas funciones determinadas y trabaja de forma autónoma.

El problema principal del ego es que muchas veces se pierde el control sobre él o, mejor dicho, toma completamente el control de nuestra vida sin que nos demos cuenta cuando no debería ser así. La consciencia cae con demasiada regularidad bajo el liderazgo del ego y de la sub-personalidad que mejor le convenga a este, según la situación a la que deba hacer frente.

El ego, en realidad, debería estar al servicio del Yo Superior. Cuando esta relación funciona correctamente, el ego es un intermediario útil que representa a todo el conjunto de lo que somos, ahí fuera en el mundo, pero sin creerse que él por sí solo es este conjunto. Cuando el ego se confunde con la totalidad de nuestro ser, cuando sus personalidades dirigen al cien por cien nuestra vida y nos olvidamos de que este no es el papel que le fue asignado, empezamos a tener problemas y a desconectar de la Fuente que realmente ha de guiar nuestra vida.

Para hacernos una imagen fácil de visualizar, el ego sería aquello que dirige la "suma de yo's" que controlan los mandos de la mente, que gestiona el ordenador que es nuestro cerebro y lo ayuda a computar los datos para obtener respuestas, que pulsa las teclas del tablero de mandos, y quien ejecuta los múltiples programas automáticos que mostramos al mundo en nuestras reacciones y comportamientos, pero sin tomar propiedad de él, sino, idealmente, obedeciendo las instrucciones de nuestro Yo Superior. Cuando el ego se hace con el poder, que es lo que ocurre casi siempre para casi todos los seres humanos, nuestra vida empieza a perder el centro, la serenidad y la sabiduría, nos identificamos con nuestra personalidad artificial y dejamos de sentirnos unidos a todos y partes de todo.

El ego es además quién controla nuestra personalidad. Esta personalidad, compuesta por múltiples facetas y sub-caracteres, es una compleja malla de sensaciones, pensamientos, comportamientos, miedos y todo tipo de emociones y programas automáticos. Cada uno de nosotros, en cada momento de nuestra vida, nos vemos obligados a recurrir a un aspecto de la personalidad que nos sirva para gestionar o manejar la situación en la que nos encontramos, ya sea poniendo al mando a nuestro *yo valiente*, nuestro *yo sabio* o nuestro *yo consejero*, nuestro *yo del trabajo* o nuestro *yo de casa*, nuestro *yo social* o nuestro *yo familiar*, y, a veces no nos damos cuenta de esos sub-caracteres que predominan con fuerza en nosotros y que afloran según las circunstancias. Sin embargo, no son más que diferentes representaciones de nuestro ego, distintos papeles que asume según las necesidades.

Además, con el término *ego* no me refiero a ese punto de altanería, egoísmo o sobrevaloración de uno mismo al que comúnmente se alude ("¡Vaya ego que tiene ese tío, se cree el mejor!"). No. El ego es el programa que gestiona la mente y el conjunto de nuestras personalidades y programas de comportamiento. Todas esas vocecitas internas y diferentes que notamos en la cabeza (o que más bien se apoderan de ella y de nuestros actos sin que nos demos cuenta) y pueden representar a determinados *arquetipos*, a partir de la terminología acuñada por Jung, que estudió estos roles que adoptamos y definió varios papeles universales que, según su investigación, están presentes en la mayoría de nosotros en un grado u otro.

Se trata, así, de los diferentes componentes con vida propia que existen en nuestra consciencia artificial, que manejan los mandos y el teclado de nuestro superordenador, que estimulan ciertas reacciones nuestras: el miedo, el titubeo, el valor, etc., y que, sobre todo, tienen una función extremadamente precisa: la supervivencia del cuerpo humano y, con él, de la raza humana, la física, pues la parte espiritual ya sabemos que es eterna. Ni más ni menos. Su único objetivo es ese. Sobrevivir.

Por otra parte, puesto que el ego es un ente energético real, precisa energía para sobrevivir y realizar su función y, para ello, necesita su propia comida. ¿Cuál es? Los pensamientos generados por nuestra mente en determinadas situaciones relacionados con el miedo.

El ego sobrevive cuando se alimenta de esos pensamientos de venganza en los que te visualizas a ti mismo gritándole al jefe por haberte humillado y saliendo victorioso de la batalla, dejándolo tirado en su silla ante la mirada de todos tus colegas. El ego genera ese tipo de pensamientos para poder alimentarse, porque una de sus partes se ha sentido herida cuando te han atacado y debe sacar su lado vengativo. Sabe que no harás de verdad eso que le gustaría que hicieras, así que te pone toda la situación en tu pantalla mental, y la reproduce una y otra vez. ¡Y qué bien se siente! Cada sub-personalidad se alimenta de ciertas emociones y, puesto que la mente no distingue entre algo que ha sucedido realmente y algo imaginado, la emoción y la energía generadas son iguales de válidas.

Aunque todos tenemos sub-personalidades similares, miles de ellas, no todos utilizamos la misma en la misma situación. Eso diferencia a una persona de otra ante un mismo hecho: el sub-carácter de la personalidad que toma el control y reacciona de una u otra forma varía según sus cálculos de probabilidades, expectativas y confianza en su misión última.

## El poder del ahora o la desprogramación del autómata humano

Refiriéndose a todo lo anterior, Gurdjieff decía siempre a sus alumnos que el cuerpo humano que usamos es una máquina, cargada de programas de comportamiento automáticos que se ejecutan sin control, o bajo el control de la mente, haciéndonos a todos, básicamente, autómatas que navegamos por la vida de forma inconsciente, dejándonos llevar por los programas y patrones de comportamiento que activamos, según las necesidades del día a día.

Sobre el mismo tema, Eckhart Tolle, en el libro *El Poder del Ahora*, contaba cómo llegó un momento en el que se dijo: "*Ya no puedo vivir más conmigo mismo*", lo cual le llevó a pensar que tenía que haber dos "Yos", al menos, para que uno de ellos no pudiera vivir con el otro. Tanto Gurdjieff como Tolle nos hablan de la misma cosa, la mente/carácter/personalidad que tenemos, y el ser/conciencia real que somos.

Sé que es todo un ejercicio de voluntad y trabajo interno, tremendamente intenso, doblegar a la parte automática y autómata de la simbiosis ser/mente/ego. En casi todos los momentos de nuestra vida, son estos programas automáticos e inconscientes los que nos gobiernan. Dice Tolle que, realmente, para darnos cuenta de que existe este control sobre nosotros de la parte autómata, solo tenemos que enfocarnos en traer la conciencia al momento presente, al ahora.

Gurdjieff y toda su escuela de *El Cuarto Camino*, como se han denominado sus enseñanzas, ponen mucho énfasis en desprogramar al ser humano de los patrones automáticos de comportamiento para dejar de ser máquinas reactivas y que el Yo Superior tome los mandos, estando el cien por cien del tiempo presente y “consciente” del cuerpo que ocupa, de lo que entra por los cinco sentidos y de lo que sucede en este instante concreto. El objetivo es bloquear a la mente y a nuestra personalidad de irse al pasado, o al futuro, donde siempre solemos estar, bien recordando cosas o hechos que nos han sucedido (qué he comido ayer o qué hice la semana pasada), o bien cosas que esperamos que sucedan o creemos que sucederán. Mientras estemos con la mente en ese pasado o en ese futuro, no estamos “presentes”, y, al no estar “presentes”, el autómata que dirige este cuerpo orgánico que habito está controlándolo. Mientras que Gurdjieff propone desmontar al autómata, Tolle propone potenciar la consciencia para que el autómata no tenga poder. Dos caminos para el mismo objetivo.

Incluso mientras escribo este libro noto la lucha entre mi autómata y mi consciencia por tener el control. El autómata está pensando las palabras que voy a usar, las ideas que voy a escribir dentro de dos párrafos, pero mi conciencia está intentando que note cada tecla del ordenador que estoy pulsando y que me concentre en el pensamiento justo que estoy escribiendo en este momento, no en el que voy a escribir un poco más adelante. Mi conciencia quiere fluir con lo que llegue en cada instante para que lo escriba, mi mente está pidiendo que planifique lo que voy a escribir y lo mantenga, para reforzar su presencia con múltiples intentos de mantenerse fuera del “ahora”. Cuando, continuamente, por el simple hecho de usar tu poder de voluntad, vuelves una y otra vez al “ahora”, al presente, bloqueamos un poco más las derivas de irnos a un estado pasado o futuro, donde los programas automáticos tienen el poder, de forma que puedo tener el control sobre mi existencia con un poco más de constancia y durante más tiempo.

El estado de estar "presente" es tremendamente poderoso. En él, no hay problemas ni situaciones a resolver, ni preocupaciones. Pruébalo. Hazte presente, disóciate del autómata y conviértete en un observador de ti mismo. Cada instante que te mantienes anclado al tiempo te arrastra a pensar en todo lo que tenemos que hacer en nuestra vida, lo que nos espera, las cosas que tenemos que solucionar. Mientras que, por el contrario, cada instante que estamos en el *ahora* es solo un instante de experimentar la vida al cien por cien y dejar entonces que esta fluya y vaya trayendo experiencias a las cuales no nos anticipamos, sino que vamos gestionando bajo la batuta de la conciencia "en presente" a medida que va siendo necesario.

El objetivo es solo uno, que, de repente, de tanto ir y venir de la consciencia a la inconsciencia, es decir, de tanto recuperar el control sobre nuestra mente automática, perderlo de nuevo, volver a ejecutar nuestros programas de siempre, volver a desconectarlos y vuelta a empezar, es que un buen día el ciclo se pare y al haber ejercido nuestra voluntad constantemente sobre nuestros programas, la consciencia ya no pierda el control, y se instaure de forma permanente la percepción del momento *presente* en nosotros, viviendo constantemente y aprovechando el poder del *ahora*.

## ¿Quién es quién aquí dentro?

Como veremos más adelante, el sistema de control bajo el que vivimos potencia que sean los diferentes programas y patrones de comportamiento automáticos los que permanezcan controlando el ser humano a través de nuestros "yos" o sub-personalidades, ya que así es como podemos ser manipulados más fácilmente. Estos patrones de comportamiento, estas facetas del carácter y estos programas automáticos pueden ser instaurados, proyectados y generados en nuestra mente de diferentes formas, que también veremos, para que no dejemos que sea el Yo Superior y nuestra consciencia real la que gestione nuestra vida.

Pero el desmontar todo esto requiere un proceso y un análisis de autoobservación bastante constante e intenso. Lo primero que hay que identificar claramente es quién está controlando cuando estamos pensando: *"¿Quién está controlando?"*. No sé si me explico. Para yo poder razonar que debe haber una parte de mi razonando que algo maneja los mandos de este cuerpo, debo ser capaz de notar que un componente de mi ser, que no es un programa automático, ni parece ser mi alma o conciencia, tiene una percepción de ambos bandos. A eso, le vamos a poner el nombre de "*yo observador*" o yo "*consciente*".

En este momento de tu existencia, quien está analizando si algún programa automático maneja tu vida o si tu conciencia es la que está presente o quiere hacerse presente, es tu *yo consciente u observador.* Yo, hablando conmigo mismo y dirigiéndome al resto de partes de mí.

A medida que experimento con que sea la conciencia de mi ser a través de mi "yo observador" la que tome el control de mi percepción del mundo exterior, los programas automáticos no entran en juego, pero basta que tengamos una distracción, que suene el teléfono, que llegue un *e-mail* y nos pongamos a leerlo, para que uno de ellos (de los programas), se active y perdamos toda percepción anterior, para, de nuevo, ponernos a actuar y responder en modo autómata a los estímulos externos. Este mecanismo es uno de los usados constantemente por el sistema de control sobre nosotros, y está claro que tienen todo el poder sobre el mismo a no ser que realmente trabajes para evitarlo.

## El control de la realidad a través del subconsciente

El subconsciente es el siguiente componente de la mente que está directamente involucrado en la gestión de la realidad individual del ser humano y, en consecuencia, es usado también para el control y manipulación de la realidad global.

Este es el almacén de recuerdos, patrones de conducta, hábitos y procesos profundos que tienen mucho poder en nuestra vida. Maneja nuestro día a día también de forma muy sutil, entierra aquello que podría hacernos daño o causar algún problema que la mente lógica no sepa solucionar. Es una de las partes energéticas del ser humano que hay que tratar de tener más limpias y ordenadas tanto a nivel de su esfera mental como a nivel del espacio que usa en el cuerpo mental que poseemos.

Hay muchas formas de trabajar y limpiar el subconsciente. Una de ellas es escribir sin pensar demasiado para dar rienda suelta a lo que hay en nuestro interior; otra es hablar en voz alta, dejar que surja naturalmente todo lo que llevamos dentro; otras son las limpiezas energéticas de patrones de comportamiento, conductas, traumas, fobias, etc.

El subconsciente es el principal creador de nuestra realidad personal a nivel no racional. Sus formas mentales y proyecciones configuran lo que finalmente acabamos atrayendo hacia nosotros cuando no proyectamos la realidad que queremos desde nuestra mente consciente. Para la mente subconsciente, no existen el pasado ni el futuro. Todo es ahora, pues se proyecta fuera de los límites del espacio y del tiempo, en otros niveles donde la secuencia lineal de acontecimientos que para nosotros determina las directrices temporales de lo que nos pasa, no existe. Eso quiere decir que puede entender, ver, almacenar o predecir, y conocer los resultados, movimientos, soluciones o sucesos de cualquier cosa que hagamos o pensemos, en cualquier momento. Un subconsciente sano es una herramienta de alto poder al servicio de la evolución personal. Un subconsciente repleto de miedos, creencias limitadoras, traumas, fobias y otros bloqueos mentales o energéticos es una gran carga que lastra nuestro crecimiento y experiencia, pues, como parte co-creadora de nuestra realidad, proyecta y manifiesta todo aquello que contiene en su interior, aunque solo sea como reflejo, para que nos demos cuenta de lo que estamos generando y lo podamos usar como catalizador para seguir acumulando lecciones. En el trabajo interior con uno mismo, es difícil muchas veces separar lo que proviene del subconsciente de lo que proviene del Yo Superior. Ambas fuentes son tremendamente sabias, trabajan para nuestro crecimiento, se preocupan de que la mente consciente tome las decisiones adecuadas y gestione la realidad de acuerdo con el plan evolutivo marcado. Uno probablemente lidia con conceptos y ajustes más físicos, terrenales, mientras que el otro tiene en cuenta la conexión con partes más etéreas y espirituales.

## El inconsciente

En otro nivel más profundo, y tras haber visto el papel de la mente consciente, el programa ego y la personalidad humana, y del subconsciente, el siguiente componente que forma parte de la creación de la realidad común en el planeta es el inconsciente.

Situado en una esfera que, energéticamente, se encuentra en la zona de la nuca, está el nivel de la psique que conocemos como el inconsciente, trabajando en niveles mucho más profundos que los procesos del subconsciente. El inconsciente actúa como conexión con el llamado inconsciente colectivo de la humanidad, es el impresionante nexo que nos une a todos los seres humanos mentalmente, razón por la cual este inconsciente colectivo representa una de nuestras mayores influencias, de la cual es terriblemente difícil escapar.

Estamos influenciados por todo lo que se "cuece en el aire", por todo lo que transpira a nivel de humanidad. Estamos en permanente contacto con todos los seres que habitan el planeta a través de este inconsciente colectivo, aunque no nos demos cuenta de ello. Esta es la vía por la que se nos puede influenciar más y por la que llegan la mayoría de los programas automáticos y de los miedos que se anclan en nuestro sistema energético, pues los generamos cuando percibimos algo en el exterior que nos provoca una sensación o un bloqueo que no tendría por qué existir en nosotros de forma natural.

El inconsciente colectivo ha sido formado por la suma de todas las mentes de todo el planeta, a nivel de humanidad, es el creador de *Matrix,* la realidad común consensuada por todos y en la que vivimos. Como una enorme piscina energética conectada a nuestras mentes, recoge continuamente todas las emisiones mentales y emocionales de todos los miembros de la raza humana. También llamados campos mórficos, estos inconscientes colectivos, presentes en todas las especies de animales, vegetales y minerales, favorecen la propagación de ciertos conocimientos, realidades o informaciones entre todos los miembros de esa especie en concreto (la raza humana o cualquier especie animal o de flora). Como veremos, influenciando un inconsciente colectivo pueden producirse enormes cambios en la realidad común de aquellos conectados a él.

No todo el mundo acepta la existencia de este inconsciente colectivo, al menos no desde un punto de vista existencial o espiritual. Pero la mayoría de las personas conocen algo de él, quizá desde un punto de vista psicológico. Sin embargo, podemos estudiar un poco más en detalle el tema del inconsciente colectivo desde otros puntos de vista, por ejemplo, desde la biología, a través de una teoría elaborada por el doctor Rupert Sheldrake. Este biólogo y filósofo británico propuso la idea de la existencia de un campo morfogenético, que intentaba explicar por qué los organismos vivientes (la vida orgánica del planeta) adoptan las formas y los comportamientos característicos de cada especie, idénticos para todos sus miembros:

> *Morfo* viene de la palabra griega *morphe*, que significa "forma". Los campos morfogenéticos son campos de forma; campos, patrones o estructuras de orden. Estos campos organizan no solo a los organismos vivos, sino también los cristales y las moléculas. Cada tipo de molécula, cada proteína, por ejemplo, tiene su propio campo mórfico —un campo de hemoglobina, un campo de insulina, etc.— De igual manera, cada tipo de cristal, cada tipo de organismo, cada tipo de instinto o patrón de comportamiento tiene su campo mórfico. Estos campos son los que ordenan la naturaleza. Hay muchos tipos de campos porque hay muchos tipos de cosas y patrones en la naturaleza.

Sus publicaciones, muy en consonancia con la idea del inconsciente colectivo de Jung, han supuesto una gran contribución, al reunir nociones vagas sobre los campos morfogenéticos que, a principios de la década de 1920, tres biólogos sugirieron independientemente: Hans Spemann en 1921, Alexander Gurwitsch en 1922 y Pierre Weiss en 1923. Sheldrake las combinó en una teoría demostrable, que expuso en el libro *La presencia del pasado: resonancia mórfica y hábitos de la naturaleza*. En él presenta su hipótesis y afirma que los campos morfogenéticos o mórficos llevan información, y que, una vez creados, son utilizables a través del espacio y del tiempo sin pérdida alguna de intensidad. Es decir, los campos mórficos son campos no físicos que ejercen influencia sobre sistemas con algún tipo de organización inherente, como, por ejemplo, la raza humana:

> La teoría de la causación formativa se centra en cómo las cosas toman sus formas o patrones de organización. Así que cubre la formación de galaxias, átomos, cristales, moléculas, plantas, animales, células, sociedades y, por supuesto, la raza humana. Cubre todas las cosas que tienen formas, patrones, estructuras o propiedades auto organizativas. Todas estas cosas se organizan por sí mismas. Un átomo no tiene que ser creado por algún agente externo, se organiza solo. Una molécula o un cristal no son organizados por los seres humanos pieza por pieza, sino que cristalizan espontáneamente, así como los animales crecen espontáneamente.

Es decir, esta teoría trata de los sistemas naturales auto organizados y del origen de las formas, del porqué de todos los sistemas, individuos o componentes de un mismo campo mórfico. No solo están todos conectados entre sí, sino que comparten toda la información de la especie a la que pertenecen de forma automática e inconsciente:

> Asumo que la causa de las formas es la influencia de campos organizativos, campos formativos, que llamo campos mórficos. El rasgo principal es que la forma de las sociedades, ideas, cristales y moléculas depende de la manera en que tipos similares han sido organizados en el pasado. Hay una especie de memoria integrada en los campos mórficos de cada cosa auto organizada. Concibo las regularidades de la naturaleza como hábitos más que

como cosas gobernadas por leyes matemáticas eternas que existen de alguna forma fuera de la naturaleza.

Para nosotros, la raza humana, esto supone que existe energéticamente esta conexión, ahora descrita desde un punto de vista biológico y no psicológico. Todo lo que se cueza dentro de este campo mórfico afecta a todos y a cada uno de los miembros de la raza conectados al mismo. Ello significa que, si se modifica o manipula el inconsciente colectivo del planeta, todos y cada uno de los seres humanos conectados a él se verán afectados, para bien o para mal.

Pues bien, ahora que hemos visto los diferentes componentes de nuestra mente, al menos los principales, podemos entender cómo nos hemos metido en esta situación, en la que una gran parte de ellos están siendo manipulados.

# La realidad es una ilusión mental

¿Cómo un grupo de entidades "negativas" (de extremo servicio a uno mismo) y unos cuantos miles, a lo sumo, de humanos en la "élite" han podido imponer, en un planeta con miles de millones de personas, un sistema de control tan perfecto y duradero? ¿Qué mecanismos han usado estos controladores para conseguirlo?

Principalmente uno: a nosotros mismos, a los seres humanos, que, sin saberlo, hemos creado la realidad global que nos han sugerido estos controladores para su beneficio. Así es: hemos generado el mundo en el que vivimos hasta el menor de los detalles, porque tenemos el poder, a nivel global, para hacerlo. Aunque, lamentablemente, hemos generado un mundo que no era el que más nos conviene a nosotros, sino a aquellos que dirigen el espectáculo.

¿Por qué? Muy simple, porque todo es energía.

Todo lo que existe no es más que energía, que nosotros podemos moldear. Esa es nuestra premisa básica para entender este punto: que todo en el universo, toda la Creación, todo lo que existe, es energía en diferentes estados, que vibra a una frecuencia determinada. Aquello que vibra o resuena a poca frecuencia es más sólido, y aquello que vibra muy rápido, a una frecuencia muy alta, es más etéreo.

La parte más pequeña de un átomo es pura energía, y vibra a una frecuencia determinada. En realidad, la física cuántica nos dice que las partículas más diminutas que conforman las partes más pequeñas del átomo ni siquiera existen como tales, sino que se encuentran en estado de onda y solo se colapsan para formar algo físico cuando alguien las observa. Es decir, que ni siquiera el núcleo central sobre el cual está construida nuestra realidad es algo físico, sólido y tangible. Solo se convierte en algo físico cuando es observado. De lo contrario, no es más que una onda energética que ofrece múltiples posibilidades de manifestarse de una u otra forma, según qué otra energía interactúe con ella. Un átomo, como todo lo demás, no puede existir sin un observador (otra energía consciente) que lo ponga de manifiesto.

Una roca, una flor o Saturno: todos estamos formados por esa misma energía, esas mismas ondas que son los componentes primarios de las partículas sub-atómicas, las mónadas, que se colapsan en estados más o menos sólidos, cada uno con su frecuencia vibratoria específica, pero con el mismo componente básico: ese núcleo energético. Así como nuestro cuerpo físico es energía con ciertas características (billones de átomos organizados en células, órganos, tejidos, huesos y demás), que ha tomado cierta forma, también nuestros pensamientos y sentimientos son y emiten a su vez energía a una frecuencia determinada. Es esencial tenerlo en cuenta para entender cómo se nos puede manipular para manifestar una realidad "artificial" o acorde con los designios de los de arriba.

Cada vez que piensas o sientes algo, emites energía de cierto tipo que forma ese pensamiento o emoción y que va a tener ciertos efectos en el mundo exterior, donde esa energía va a manifestarse. Cuando millones de personas emiten algo, millones de personas crean una realidad común, que se manifiesta luego a nivel físico como la realidad de todos los habitantes del planeta.

Así, para todos y cada uno de nosotros, ese mundo exterior depende principalmente de dos cosas: la energía mental (pensamientos, ideas) y la energía emocional (sentimientos, emociones, estados de ánimo) que proyectamos, que combinadas pueden ser una poderosa máquina de creación.

Pensemos, por ejemplo en la voz. Cada vez que hablamos, cantamos, gritamos o susurramos, enviamos un haz de energía hacia fuera. Esta energía puede ser captada por los oídos de las personas que nos escuchan o por cualquier grabadora o micrófono. Cuando pensamos, emitimos el mismo tipo de energía con cada uno de nuestros pensamientos, de diferente tipo y frecuencia, solo que no tenemos a nuestra disposición, físicamente, un artefacto que nos permita ver o medir esa energía que sale constantemente de nuestras cabezas.

Igual que al gritar concentramos mucha energía en un solo haz sonoro, cuando concentramos el pensamiento fijamente en un solo concepto, emitimos una energía focalizada en ese tema. En este caso, la energía de nuestro pensamiento se disipa por el aire, por el mundo, porque esa energía tiene una cierta potencia y llega hasta un cierto punto.

De la misma forma que la voz se oye bien a pocos metros de distancia y nada a dos kilómetros, el pensamiento concentrado llega también hasta cierto punto. Aunque, al tratarse de una energía con una frecuencia vibratoria más alta, tiene un alcance mucho mayor, aun con menos potencia, que cualquier grito.

Al contrario que la voz, los pensamientos, las emociones y la energía que contienen cuentan con una característica muy especial. Consiste en que lo semejante se atrae. El concepto exacto es que *aquello que es igual acaba por juntarse*.

Cuando emites A (consciente o inconscientemente), tu energía atrae más A, si cambias y emites B, atraerás hacia ti todo lo que tenga B, sean estas letras sinónimo de emociones, deseos, sensaciones o eventos reales. Aquello que emites indica lo que siempre atraes o atraerás hacia ti y lo que conformará tu vida, la que tus cinco sentidos pueden percibir como real. Es lo que se llama genéricamente la ley de la atracción.

## Imanes energéticos

Si pensamos en cada uno de nosotros como un imán, entendemos por qué sistemas energéticos de la misma vibración tienen tendencia a atraerse unos a otros. Los núcleos de energía básica que componen nuestros pensamientos y emociones son como imanes que buscan reunirse con otros núcleos energéticos de la misma frecuencia y con las mismas características. Aquello que emitimos, somos o pensamos no es sino un gran imán para todo aquello "de ahí fuera" que concuerda con nuestras características.

Es decir, si emitimos energías asociadas al miedo, vamos a atraer, generar y manifestar en nuestra realidad situaciones que concuerden con esas energías y que terminen representando ese miedo, preocupación o problema. Si emitimos energías positivas, vamos a atraer y manifestar en nuestra vida situaciones, eventos, personas y demás que sean la manifestación o representación de esas energías positivas, sean las que sean.

Tenemos dos modos básicos de manifestar el mundo exterior en el que vivimos: de forma consciente, sabiendo lo que generamos y trabajando en ello, y de forma inconsciente, dejando que la realidad común y los procesos de nuestro subconsciente se encarguen del trabajo. Esta última forma es la que es aprovechada para manipularnos tan efectivamente.

## Creación inconsciente: generar la realidad sin darse cuenta

A la mayoría de las personas de este planeta, la realidad que perciben y en la que viven inmersas les viene dada. Nos la encontramos cada mañana cuando nos levantamos de la cama y creemos no haber tenido nada que ver con ella. Aunque en parte sea así, pues simplemente aceptamos que lo creado por el inconsciente colectivo "ya nos va bien", por otro lado también nuestra mente subconsciente se encarga de trabajar día y noche, sin descanso, para generar aquello que percibimos como nuestro mundo exterior.

¿Quiere decir esto que generamos nuestra realidad personal y, por extensión, la realidad común, sin darnos cuenta de ello? Así es, puesto que el mundo que creemos real y sólido no es más que la suma de millones de ondas electromagnéticas, de energía en movimiento que crea un perfecto holograma tridimensional. Todas las posibles realidades están presentes en forma de componentes energéticos que decodificamos con nuestros sentidos y nuestro cerebro.

Lo que todos vemos por igual y con lo que todos estamos de acuerdo no son más que las proyecciones energéticas del inconsciente colectivo, al cual estamos todos conectados (nuestra *Matrix*).

Si la hierba es verde, la nieve es blanca y fría, el fuego quema o el agua es transparente, es porque todos estamos de acuerdo en que es así y así lo percibimos. Estamos programados desde tiempos inmemoriales para aceptar que para todo el mundo esas cosas tienen el mismo significado. Gracias a ello, podemos interactuar y vivir juntos en algo que aparentemente es tangible y real para todos por igual, pero que no son más que proyecciones holográficas aceptadas por todos. Igual que en la película *Matrix*, donde "la verdadera" realidad no era más que un conjunto de números que pasaban sin cesar en un ordenador, la realidad común de este planeta no es otra que múltiples ondas que todos decodificamos de la misma forma.

Ahora bien, ¿quién genera esas ondas que son la materia prima que conforma el mundo? ¿Quién genera esas realidades potenciales? Nosotros lo hacemos. O mejor dicho, lo hace la suma de nuestra mente inconsciente y de nuestro subconsciente. Más adelante veremos cómo decodificamos esa realidad y la convertimos en "nuestra realidad". De momento, empecemos por explicar cómo se ha creado el mundo que llamamos real, cómo se generan los pensamientos y cómo las cosas llegan a nosotros sin que nuestra mente consciente parezca ser parte involucrada en el proceso.

## Cambiando el contenido de nuestra mente

La realidad exterior, como ya hemos dicho, es una realidad acotada a la capacidad que tienen nuestros sentidos de percibir las ondas y captar las estructuras energéticas que vienen de la realidad "cuántica" o general, y que nosotros adaptamos según el contenido de nuestra mente y de nuestro cuerpo mental. Por lo tanto, si queremos cambiar nuestra realidad personal, es necesario cambiar todo ese contenido para proyectar otra "realidad". Evidentemente esta realidad "personal" en la que cada uno existe, forma parte y está dentro de las estructuras de la realidad consensuada y común, por lo tanto, las calles por las que andamos siguen siendo las mismas calles para todos y los edificios son los mismos edificios. El autobús donde nos subimos es el mismo autobús para todos y, sin embargo, cada uno está viviendo una versión particular de ese autobús o de lo que sucede en esa calle.

Como hemos explicado, las estructuras macro dependen del contenido de la esfera mental preconsciente, pero los detalles de esa realidad individual dependen del contenido explícito y concreto que cada uno tiene principalmente a nivel subconsciente, aunque estén asociados y archivados en carpetas generales, los arquetipos, que todos tenemos por igual con contenido parecido. Por lo tanto, cuando tú te subes a un autobús que comparten muchas personas, para ti, en tu viaje, la experiencia, las cosas que sucedan, como vaya o no vaya el viaje, depende solo de lo que estás proyectando en ese momento, mientras que para la persona de al lado, su experiencia y su realidad dentro del autobús, depende de lo que esa persona proyecte en su realidad particular.

## La glándula pineal como proyector de la realidad

El proyector de la realidad individual de cada persona es la glándula pineal. Esta glándula, que tiene muchas funciones a nivel físico, etérico y mental, posee los "emisores" holográficos u holocuánticos que toman el contenido que poseemos en la mente y en el cuerpo mental y lo emiten en forma de "ondas", que son el equivalente al proyector de cine que emite los fotogramas de la bobina sobre una pantalla donde aparece entonces aquello que estamos viendo.

En este caso, la bobina con el contenido de lo que hay que proyectar es nuestro cuerpo mental y nuestras esferas mentales, y el proyector es la glándula pineal en su contrapartida etérica y mental. Puesto que el contenido de la mente de la mayoría de personas es muy similar a nivel de arquetipos, es bastante fácil entender cómo, a rasgos generales, todos proyectamos películas lo bastante parecidas como para que nos dé la impresión de que la realidad externa es inmutable y la misma para todos.

De esta forma, los topes y programas que nos impide darnos cuenta y nos vetan el acceso al conocimiento interno de que nosotros somos nuestros propios creadores del mundo en el que vivimos hacen el resto, y nos hacen creer que ese mundo en el que existimos es independiente de la humanidad que lo crea. Por lo tanto, es uno de los mayores obstáculos para devolverle al ser humano el poder que tiene para dirigir su vida y su existencia.

## ¿Cómo se proyecta la realidad?

Hemos dicho que lo hacemos a través de la glándula pineal, pero, ¿cuál es el mecanismo exacto que hace que funcione de esta manera y que es lo que nosotros tenemos que eliminar y sanar para que la proyección de nuestra realidad esté acorde al bien mayor de aquello que nos toca experimentar y vivir, y no a aquello que nos han programado para proyectar?

Empezamos con la explicación de ese mecanismo. En el cuerpo mental todos los pensamientos, datos e informaciones que tenemos están formados por formas energéticas mentales, algo así como burbujas de energía que contienen en su interior el estímulo y la codificación asociada a una vivencia, a un dato, a una información o a un contenido específico que ha sido recibido y captado por los sentidos físicos y extra físicos y almacenados en diferentes capas y sustratos del cuerpo mental.

Este contenido es recuperado, archivado, revisado, filtrado y ordenado constantemente acorde al arquetipo al que pertenecen mediante programas especiales que están instalados en las esferas mentales y que reciben el nombre, para nosotros, de *"archivadores de información".* De manera que es como si tuviéramos un pequeño software en cada esfera mental que hace de administrador de los archivos y datos que tenemos en el cuerpo mental, asociándolos a los diferentes arquetipos para poder ser clasificados ordenadamente. Esto hace que todo lo que sabemos sobre ciencia, tecnología, cosas "medibles" y conocimientos similares, estén siendo procesados, guardados, etiquetados y archivados por el *"programa archivador"* del arquetipo científico, de manera que este arquetipo, que a nivel cerebral es un conjunto de millones de neuronas con millones de conexiones y redes neuronales entre sí, tenga un listado y en orden todo aquello que "sabe" y conoce sobre los temas científicos y relacionados. Lo mismo pasa con cualquier otro dato de cualquier otro tema: político, social, cultural, moral, etc., que estará archivado y controlado en el cuerpo mental, por los programas archivadores de las esferas mentales donde están ubicados los arquetipos correspondientes.

Bien, entonces, estos arquetipos son los encargados de pasarle a la glándula pineal a través del hipotálamo, las "burbujas" de datos e informaciones que debe proyectar al exterior en forma de "onda energética". Así, lo que la física cuántica conoce como la dualidad onda-partícula, es lo que nuestro sistema de proyección mental holocuántica produce constantemente, emitiendo ondas que solo cuando son proyectadas al exterior e interactúan con la estructura global de la realidad común se empiezan a colapsar y manifestar en situaciones reales, sólidas, tangibles y palpables.

## Cada uno su propia experiencia en el mismo autobús

Por ejemplo. Si te subes al autobús y diferentes programas en tu mente son conscientes de que en el autobús existe la posibilidad de ir sentado, y tú tienes varios programas que pueden proyectar la imagen de un asiento vacío para que tu cuerpo físico pueda ocuparlo, y si no hay ningún obstáculo, distorsión, bloqueo o programa que niega esa posibilidad, sin ningún género de duda, cuando subas al autobús, que es una manifestación común de todos, tu tendrás en tu realidad particular, un asiento libre al que te puedas sentar.

En todo este proceso, en general, tú no has hecho ningún esfuerzo para proyectar ese asiento vacío, ya que los programas que tienes en ti lo han hecho automáticamente. Aquí han intervenido varias decenas de programas que incluyen desde una forma emocional o mental de cansancio que ha hecho que otro programa piense o ejecute una opción de manifestar un asiento, los recuerdos y memorias que tienes de que en los autobuses hay asientos, y el programa de querer sentarte, todo eso automáticamente proyectando varias decenas de ondas energéticas con la imagen final de que haya un asiento libre, es lo que ha hecho que te lo vayas a encontrar libre finalmente en el mundo sólido que damos por inmutable cuando subas a ese autobús.

Luego, ¿qué sucede si todos los que suben al autobús hacen el mismo proceso? Evidentemente no hay asientos bastantes para todos porque en la realidad común, en algún momento, los humanos que proyectaron los autobuses co-crearon que estos tuvieran solo un número finito y concreto de asientos, así que si solo hay 30 de ellos, pero suben 60 personas al autobús, es evidente que la proyección de 30 de esas personas no va a tener éxito. Sin embargo no es correcto, primero porque no todas esas 30 personas están proyectando encontrarse un asiento vacío, de hecho, muchas de esas personas no llevan en el cuerpo mental por defecto la necesidad de sentarse en el bus, otras si, por sus peculiaridades físicas, por su edad, por condicionamiento social, etc.

De manera que hay ya una parte de los pasajeros que no iniciarán una proyección donde van a encontrarse un asiento libre. Luego, otros pasajeros llevarán mucha programación negativa, donde por ejemplo, proyectan que el autobús está siempre lleno y no hay nunca sitio por sus experiencias anteriores, por lo que han visto en televisión, por lo que conocen o han leído sobre la mala situación de los transportes públicos, etc. Así que, esos pasajeros, lo que están proyectando es que cuando suban al autobús es probable que no tengan sitio para sentarse. Esto hace que realmente la experiencia de cada persona sea distinta, y que cuando uno suba y se encuentre el asiento libre, que es quien tuvo vía libre en su proyección holográfica para ello, se siente y viaje sentado, y justo la persona de al lado que no sabía que estaba proyectando otra cosa, se encuentre que ya no tiene asiento.

Esto que parece complicado, es un juego constante de mezcla de proyecciones de todos los seres humanos para crear la realidad común, que es caótica, ya que nuestras proyecciones no son armoniosas y no suelen estar limpias ni libres de todo tipo de “ondas” negativas, que no sabemos que estamos emitiendo, y que no sabemos que se nos ha inducido a emitir sin darnos cuenta al manipular la información y contenido que llevamos a cuestas.

## La decodificación de la realidad

Ya sabemos cómo funciona el mecanismo genérico de creación de la realidad y comprendemos el poder que tenemos para generar energéticamente el mundo que percibimos. Sabemos cómo funciona la parte “generadora” de lo que vemos ahí fuera, pero quizá no cómo funciona la parte “receptora”. Es decir, mi cuerpo, mi sistema energético capta, genera y emite ondas que se comportan como imanes para atraer una situación, persona, evento u objeto que equivale a esa onda y que yo percibo como algo real, físico y tangible, ya que tiene una frecuencia similar a lo que yo emito. Pero ¿cómo sé yo qué es eso que tengo delante de mis narices, ya se trate de algo que yo mismo he atraído o de la realidad común en la que vivo y que he contribuido a manifestar? ¿Cómo llega a construirse mi mundo real, el que veo con mis ojos, el que toco con mis manos?

Pues malas noticias. No son tus ojos los que perciben el mundo que llamamos real. Es tu cerebro y tu mente quien construye hologramas tridimensionales, en parte a partir de la información que recibe de los sentidos. En realidad, solo se trata de una representación de lo que recibe que considera válida. Se inventa cosas. Pura ilusión.

Vamos a explicarlo.

Todo aquello que percibimos como real no es más que una proyección mental en tres dimensiones de lo que nuestro cerebro y mente decodifica. Nuestros ojos no ven, es la mente la que ve. Los ojos son lentes que pasan información desde la retina hasta el cerebro, que es donde se forma la imagen. Los ojos son como las ópticas de las cámaras que dejan pasar la luz, esos haces lumínicos que existen ahí fuera, y la envían hacia el interior de la mente para procesarla, sin hacer juicios o presunciones sobre lo que representan.

El ojo no sabe si está recibiendo la energía lumínica de una silla o de un elefante, y francamente le da igual. Su función simplemente es transmitir el haz hacia el interior. Sin embargo, en el camino hacia el córtex visual del cerebro, los lóbulos temporales editan, recortan y filtran hasta un cincuenta por ciento del haz lumínico inicial. Solo esa parte editada de lo que percibimos a través de la retina llega al cerebro. Entonces, este "decide" qué es lo que está recibiendo y a qué corresponde esa energía. Así construye la imagen en 3D de lo que cree tener delante.

Si lo que "vemos" está basado en menos del cincuenta por ciento de una información captada del exterior, ¿cómo sabemos qué es real y qué es inventado? ¿Cómo se forma lo que percibimos como real para nosotros en nuestra mente? La respuesta es que la mente compone aproximadamente el otro cincuenta por ciento de la información con datos de los que ya dispone, a partir de nuestra presunción acerca de cómo debe ser el mundo de ahí fuera, de lo que "esperamos" ver en realidad y de todo aquello que tiene acumulado en los bancos de memoria a los cuales tiene acceso a través del condicionamiento y la programación con la que nacemos y de nuestro ADN.

Por eso cada uno "ve" las cosas de forma ligeramente diferente, porque su holograma final, la representación tridimensional de ese objeto o situación que ha creado, ha sido generado a imagen y semejanza de lo que ha encontrado dentro de sí para construirlo.

## El viaje de la luz

En su libro *El universo holográfico*, Michael Talbot dice que el viaje de la luz desde que es percibida por nuestros sensores (los ojos) hasta que nos enteramos de que estamos viendo algo (construimos la imagen) es impresionante. La luz entra a través de la córnea y traspasa la pupila, que regula su cantidad para proteger el sistema visual a través del iris. Una vez traspasada la pupila, la luz llega al humor vítreo, una especie de masa gelatinosa ubicada detrás de la pupila. Finalmente, el haz lumínico alcanza la retina, que captura la imagen. Lamentablemente, lo hace solo en dos dimensiones y al revés, por lo que, para poder discernir lo que se ve, la luz es enviada al lóbulo occipital del cerebro. Entonces la mente recompone la imagen y la completa con la información que le falta, crea un holograma tridimensional del objeto e informa a la conciencia de que está "viendo" algo, por ejemplo, una silla.

Si nuestra mente recompusiera la imagen como algo totalmente diferente, sin hacer demasiado caso de la información recibida a través de la vista, o realizando alguna asociación errónea respecto de ese haz lumínico que está registrando, estaríamos convencidos de ver cualquier otra cosa, por ejemplo, un armario, y ese armario sería para nosotros tan real como la silla. Porque la realidad se construye en nuestra mente, no fuera de ella. Esto es muy importante.

Lo mismo pasa con lo que oímos y escuchamos. La información recibida en forma de haz sonoro es filtrada por nuestro sistema auditivo y solamente en el cerebro construimos la realidad que mejor se acomoda a lo que esperamos oír, creemos oír o hemos oído previamente. Por eso dos personas que oyen el mismo mensaje pueden interpretarlo de forma totalmente distinta y estar convencidas de que su versión es la correcta. En las discusiones entre amigos o parejas, si se registrara lo que uno oye y luego se pasara de nuevo para ser escuchado, sería realmente un espectáculo, pues todos oímos muchas veces lo que nos interesa o esperamos oír, simplemente porque la mente rellena la información que le falta con lo que encuentra en su interior que concuerde con sus expectativas y creencias.

La conclusión es que la realidad en la que vivimos es la que cuadra con nuestras ideas preconcebidas, nuestros datos de memoria, aquella que nuestra mente interpreta como le conviene, para que se ajuste a nuestros pensamientos, sensaciones y expectativas. Vivimos la realidad exterior de acuerdo con nuestra realidad interior. A partir de este proceso, definimos nuestro trabajo, nuestras amistades, nuestra familia, nuestra salud o nuestra abundancia material.

## Construir la realidad común

Ahora entendemos con claridad que, si puedes controlar cómo se siente y piensa la gente interiormente, puedes controlar cómo es el mundo que genera y percibe exteriormente.

La realidad común que todos compartimos es básicamente una realidad impuesta, o creada por el cúmulo de pensamientos y energías lanzadas al inconsciente colectivo, que aceptamos por conveniencia y por acuerdo global. A todos nos interesa que exista una cierta estructura para poder navegar por nuestro día a día. A esa estructura, a ese mundo compartido, nuestra mente simplemente le ha dado el visto bueno, la ha almacenado en su interior, y es la información que usa para construir en la mente las imágenes tridimensionales de todo lo que vemos y compartimos como real. Solo se trata de información, de ondas electromagnéticas listas para ser decodificadas. Un mundo ya creado al cual solo nos tenemos que enchufar.

La realidad común es creada por la psique de la masa del planeta. Esta conciencia global refleja el estado de la realidad que, a nivel físico, se manifiesta en la Tierra. Puesto que, de forma genérica, emitimos constantemente un montón de patrones mentales que incluyen miedos, una distorsión de la realidad objetiva, caos, preocupaciones, limitaciones, etc., la gran masa energética que forma esta conciencia global refleja, a nivel planetario, ese estado interno de cada uno de nosotros.

La situación es más grave porque, en muchos casos, estos patrones energéticos que emitimos son artificialmente provocados desde el exterior y nos afectan tanto a nivel físico como energético. Si captamos ondas que nos hacen sentir mal (a nivel físico o anímico), automáticamente manifestamos pensamientos negativos y emitimos patrones energéticos al inconsciente colectivo, lo que añade a la realidad común más ondas que reflejan en nuestra realidad "sólida" que estamos mal. Y así se inicia el bucle.

A partir de aquí, manipular el mundo es coser y cantar. ¿Cómo haces que la gente genere una realidad concreta? Proyecta en sus mentes y subconscientes el tipo de mensaje que te interesa, y proyéctalo artificialmente en el inconsciente colectivo y en los programas automáticos que ejecutarán a menos que sean personas muy conscientes de sí mismas. Para ello cuentas tanto con los medios de comunicación como con todo tipo de sistemas tecnológicos de manipulación de masas.

Una vez que todo lo que la persona capta del inconsciente colectivo o se proyecta en su mente es transmutado y procesado, estas energías son lanzadas al mundo a través de su sistema energético, que entonces manifiesta, crea y moldea las energías de ese mundo exterior de acuerdo con las energías de la realidad que cada uno ha sintonizado. Puesto que diferentes partes del inconsciente colectivo contienen distintos patrones frecuenciales, las realidades difieren de área en área, de país en país o de zona en zona. Así, se dice que la "atmósfera" que se respira en Barcelona es distinta de las de Nueva York o Ciudad del Cabo, a pesar de que el proceso de creación de las realidades comunes de cada lugar es el mismo. Pero la materia prima usada difiere ligeramente, lo que se refuerza con las proyecciones de las personas, en el bucle captación-emisión-manifestación que hemos visto.

Puesto que todos estamos vibrando, manifestando y generando un cierto tipo de patrones mentales y emocionales, nuestro inconsciente colectivo se ve reforzado con esa misma onda una y otra vez. Así que, aunque se "apagaran" los estímulos externos artificiales que nos indujeron inicialmente a la generación de un cierto tipo de ondas, seguiríamos manifestando el mismo tipo de situación una y otra vez hasta que se difuminaran del todo esas energías, pues es lo que recogemos de la psique del planeta, transmutamos, emitimos, manifestamos y, al percibirlo de vuelta, lo recogemos otra vez como nuestra realidad "verdadera", de forma que volvemos a pensar en ello, a emitirlo, a manifestarlo, a recogerlo, etc.

Esto nos sucede todos y cada uno de los días de nuestra vida. Bombardea a las personas de día y de noche a través de la televisión, la radio, los periódicos, etc., con la idea de que la situación mundial es un verdadero caos, que es la ley del más fuerte, que la cosa está muy mal, que hay problemas económicos, que sobrevendrá una pandemia de gripe, de ébola, del virus pepito... Implanta esas ideas constantemente durante mucho tiempo en las personas, prepáralas sutilmente, influéncialas a nivel mental, emocional y energético, debilítalas, créales caos y confusión constante. ¿Cuál creéis que será entonces la realidad común paulatinamente generada por todo el planeta? Efectivamente: miedos, pandemias, caos, crisis y preocupaciones globales. No es que no haya que poner en marcha un mecanismo real que genere estas enfermedades (crear el virus en el laboratorio) o la crisis económica (manipular las estructuras financieras). Ha de hacerse. Pero, con una pequeña semilla o acción a nivel físico, luego puedes manifestar una realidad global gracias al empuje y el proceso de co-creación que has manipulado según tus intereses.

Si se nos quiere hacer pensar o sentir de una cierta forma y se consigue que generemos ese tipo de frecuencia, ¿cuáles de los millones de ondas energéticas, de realidades probables, creéis que crearemos y manifestaremos, atraeremos y percibiremos si estamos vibrando con ese tipo de ideas? ¿Qué realidad decodificará nuestra mente si todo lo que tiene en el subconsciente son imágenes e información sobre lo mal que están las cosas, por ejemplo, y encima percibe ondas del exterior que confirman esa información?

Y todo esto se logra simplemente implantando unas ideas que no tienen por qué ser verdaderas, que pueden prefabricarse para que, poco a poco, todo el planeta genere una realidad acorde a ellas, sin que nadie, absolutamente nadie, se dé cuenta de ello. El control de tu subconsciente, de tus procesos mentales, de tus sentimientos, es la clave para el control de tu realidad, pues emitirás lo que tu mente crea válido y acepte.

Pero la moneda tiene dos caras y hay un aspecto muy importante que hemos de entender y tener en cuenta: que estos estímulos externos deben existir constantemente para seguir manteniendo la mente condicionada, pues, en el momento en que dejaran de influenciarnos con técnicas globales de control mental, de manipulación de la psique del planeta, podríamos modificar nuestros patrones emocionales y mentales y empezar a emitir otro tipo de emociones y pensamientos, que, con el tiempo, generarían otro tipo de realidad. Esta proyección y manipulación debe ser constante para poder mantener a la población —de forma general, y con las correspondientes características de cada zona, región o país— siempre sumida en un estado o nivel de realidad acorde con el deseo de los que ocupan la cima de la estructura del sistema de control. Y eso es algo que cada vez cuesta más de conseguir.

## Minimizar la influencia de este sistema de control

Aun así, es cierto que hay mucha gente que, por muy mal que esté la realidad común, no se ve afectada por ella. Parece que las cosas les van bien aun cuando a su alrededor suenen tambores de caos por todos lados. ¿Cuántas veces hemos oído eso de que “cada cual vive en su mundo”? Si se supiera lo cierta que es esta frase del refranero popular, más de uno se pondría a copiarla hasta integrarla por completo en lo más profundo de su psique.

Es que cada uno, más que en su mundo, vive en su nivel de realidad. Aunque no podamos escapar por completo de este sistema de control más que pasando al siguiente nivel evolutivo, quizá sí podamos minimizar su influencia en nosotros de alguna forma. Vamos a verlo.

## Infinitos niveles de realidad

En esta realidad en la que estamos, coexisten infinitos planos de diferente frecuencia vibratoria. Todos compartimos la realidad común que a nivel global representa la realidad 3D, pero cada uno de nosotros está sintonizado con uno de esos subniveles o planos de forma más concreta. En todo nivel evolutivo hay divisiones y subdivisiones. Los planos inferiores resuenan con frecuencias más lentas. En cambio, la frecuencia base de los más altos es mayor. Los niveles de realidad más elevados son resultado de energías (emociones y pensamientos manifestados) más positivas; los niveles más bajos provienen de energías más negativas (basadas principalmente en el miedo como frecuencia base).

Todos y cada uno de nosotros percibimos un rango de niveles de realidad bastante amplio, a pesar de que, según la frecuencia genérica que emitamos, estemos enganchados principalmente a algunos de esos subniveles. Esa realidad que más resuena con nosotros es el plano que percibimos de forma primaria, en el cual manifestamos prácticamente todo nuestro mundo y nuestra realidad exterior.

Además de esa realidad primaria, percibimos las realidades que más se aproximan a nuestro nivel frecuencial, y también participamos de ellas, aunque menos. Es decir, se manifiestan en nuestra realidad aquellos sucesos, eventos, emociones, personas, situaciones, etc., que, aunque no forman parte de nuestra vida de forma primaria, pasan alrededor nuestro y pueden afectarnos en pequeña medida.

Esto sucede con niveles tanto mayores como menores. Es decir, podemos percibir niveles de realidad en los que suceden cosas "algo mejores" (basadas en frecuencias de resonancia más altas que la nuestra, en emociones o pensamientos más positivos, en energías más elevadas) y otros en los que tienen lugar cosas "algo peores" (basadas en lo contrario). Por ejemplo, podemos vivir en un barrio conflictivo y notar que alrededor nuestro hay problemas, se producen robos, peleas, discusiones, etc., pero a nosotros no nos pasa nunca nada, pues no estamos vibrando en ese nivel de realidad, aunque lo percibamos.

También podemos tener un trabajo estupendo o vivir en un sitio precioso. Sin embargo, no percibimos o manifestamos en nuestra realidad el cien por cien de lo que ese sitio ofrece, pues está "fuera de nuestro alcance", ya que son cosas que vibran a un nivel superior.

Cuanto más nos alejamos en la escala de niveles de nuestra realidad primaria, menos manifestamos los efectos de esa realidad concreta en nuestro mundo, a pesar de que podamos percibirlos en parte. Puedes vivir en ese barrio conflictivo, y saber por las estadísticas y las noticias que es el barrio con mayores problemas de tu ciudad, y, no obstante, jamás haber visto, oído ni sufrido nada. En otro nivel de realidad, todo eso existe, pero no se manifiesta en tu mundo porque tu nivel frecuencial está lejos del nivel frecuencial del entorno. Lo mismo sucede en el polo opuesto, es decir, en niveles de realidad más altos. Todo depende siempre de tu nivel frecuencial de resonancia base.

Desde el punto de vista de las estructuras de poder del mundo, una de las formas de mantener a la gente bajo control es someter a todo el planeta a un nivel de realidad muy bajo, mantenido por un inconsciente colectivo manipulado, con la realidad común manifestada que desean los controladores. Es lo que acabamos de ver. Los medios de comunicación, por ejemplo, son los responsables de la creación de una realidad pésima a nivel frecuencial, al cual están enganchados millones de seres humanos como realidad primaria. Otras personas vibran en niveles un poco más altos y no se ven afectadas directamente, mientras que otras no notan ningún efecto de la realidad caótica o negativa que se desea manifestar, ya que se encuentran lejos (a nivel de vibración) de ese plano de sucesos que cada día muestra la televisión.

## Subir tu nivel de realidad

Para incrementar el plano frecuencial (el tipo de realidad) que sintonizamos como nuestro mundo y engancharnos a otro que resuene a niveles más altos, hemos de procesar y aligerar la carga emocional y mental. Esto requiere limpiarnos energéticamente de forma profunda, para soltar lastre y poder sintonizar otro tipo de frecuencias.

Se trata de un trabajo de auto limpieza, de eliminación especialmente de nuestros miedos, que actúan como un ancla cuya vibración nos sujeta a niveles inferiores. Hay que encontrar formas de desprendernos de emociones y pensamientos bajos y anclarnos, sea como sea, en emociones y pensamientos elevados. El mecanismo de todo esto es parte de la ley de la atracción, y solo el trabajo interno nos permite engancharnos a un plano de realidad más alto y debemos tenerlo muy presente si queremos minimizar radicalmente el efecto del sistema de control sobre nosotros.

Pero se puede hacer, es decir, todo lo que vemos de forma global lo hemos creado la masa de los seres humanos inducidos o manipulados para ello, y somos los seres humanos los que tenemos el potencial para desmontar el castillo de naipes en cualquier momento.

Estamos donde estamos porque el gran juego cósmico de la existencia nos ha colocado en un tablero donde las condiciones son un poco menos que idílicas, desde nuestro punto de vista, aunque sean idóneas para un aprendizaje por la vía rápida. Porque somos alimento energético para entidades de orden superior, tal y como seres de niveles inferiores lo son para nosotros. Porque, para seguir siendo ese alimento, nos deben mantener en un sistema de control en el cual no logremos entender qué sucede, cómo sucede ni por qué.

Pero pensad esto y recordarlo de forma clara: si nadie en este planeta generara una sola emoción o pensamiento negativo, si nadie emitiera en una frecuencia que manifestara el tipo de realidad que tenemos ahora a escala global, este sistema de control se desmoronaría de inmediato. Sin energía negativa que sirva de alimento a las entidades que nos controlan, y si las élites perdieran las posiciones de control desde las que nos manipulan, el chiringuito se cerraría pronto y el rumbo de la situación cambiaría radicalmente.

Pero esto pasaría si todos hiciéramos lo mismo, algo que no sabemos cuándo sucederá. Tal y como pintan las cosas en este momento, no parece inminente, a menos que nos pongamos las pilas. Nuestra única vía de escape pasa, primero, por minimizar la influencia del sistema de control sobre nuestra vida y nuestra realidad personal, desconectarnos de él para ser una pila menos que le dé sustento, y, luego, por completar este ciclo evolutivo lo antes posible. Si accedemos a un nuevo nivel evolutivo, pero limpio y libre, positivo, estaremos en igualdad de condiciones para enfrentarnos o lidiar con esas entidades a las que ahora no podemos ver, y bajo cuyas maniobras de posesión y manipulación nos encontramos. No es que vayamos a encontrárnoslas, el planeta, polarizado hacia una vibración positiva, el siguiente escenario hacia donde la raza humana se encamina, no será compatible con las entidades y razas que llevan milenios haciendo de las suyas en este, pero estaremos en condiciones de percibirlas si se diera el caso.

Evidentemente, este sistema de control tratará de impedirlo. No tienen ninguna dificultad para individualizarnos y tratar de frenar cualquier intento de modificar, aunque sea un ápice, las estructuras en las que existimos. El sistema de control montado por este grupo de entidades hiperdimensionales y sus peones humanos tiene recursos para ello, recursos con los que nosotros no contamos. Pero también están limitados por la naturaleza de nuestra densidad, en la cual no pueden operar tanto como quisieran, al menos directamente. Y aquí entran en juego las diferentes formas de manipulación mental, psíquica o energética de todos aquellos que hacen lo posible por erosionar este sistema de control.

## Las figuras de control

Vamos con el último punto de esta segunda parte, antes de entrar en detalles sobre la estructura del sistema de control. Si nosotros mismos creamos el mundo en el que vivimos, a nivel global, y lo hacemos con nuestras mentes y nuestros sistemas energéticos sutilmente manipulados, los que se encargan de que esta manipulación y control no se rompa, se mantenga en pie, funcionando, con los mecanismos engrasados, son las figuras públicas y, sobre todo, las no tan públicas que han montado las estructuras físicas, sociales, educativas y económicas que gobiernan nuestras vidas.

Son los agentes de *Matrix*, como en la película. Son los miles de agentes Smith que pululaban por todos lados, orquestando, suprimiendo, desconectando, imponiendo sus normas. Porque, si en un momento concreto, la manipulación energética de las personas, de sus mentes y de sus emociones cesara por completo, poco a poco, la realidad empezaría a cambiar a medida que los patrones frecuenciales generados por todos nosotros dejaran de manifestar esas situaciones.

Si la máquina no se alimenta, se para. Por eso los coordinadores de nuestro planeta necesitan una estructura permanente que mantenga los engranajes engrasados, los pistones funcionando y las ruedas girando, que evite que la falta de presión constante sobre la humanidad genere un cambio radical de paradigma. Es cierto que este paradigma, en el orden macro cósmico de la creación, forma parte del juego de la existencia, en el cual somos simplemente personajes que entramos y salimos de un videojuego. Pero sus reglas han sido distorsionadas y, como jugador, con mi libre albedrío intacto, tengo el derecho de intentar restaurar el balance y el diseño original del sistema en el cual decidí encarnar para aprender y crecer inicialmente. O al menos, a evolucionar adquiriendo experiencias mientras lo intento.

Entonces ¿Quiénes son estas figuras de control que no dejan que se paren los motores? Muchos son portales orgánicos con nula empatía; muchos otros son entidades negativas en vehículos humanos, otros son simplemente personas ávidas de poder, riquezas y fama que, en diferentes estratos de la sociedad, han montado una estructura de componentes de complejidad inimaginable, que es la que nos sustenta y mantiene al mundo en el estado en el que se encuentra.

Así que ahora vamos a estudiar la estructura de este sistema de control y gestión de la humanidad.

No es cuestión de quedarse a medias.

# Tercera parte: la estructura del sistema de gestión de la humanidad

¿Tenemos ya más o menos claro cómo está la situación en el planeta, en referencia a los diferentes componentes del sistema de vida en la Tierra, quiénes somos, qué hacemos aquí y a quiénes tenemos como compañeros de viaje?

Personalmente siempre he deseado tener unas gafas como las que aparecen en la película *Ellos viven*. Porque una cosa es intuir cómo son las cosas, y otra muy diferente sería poder verlas directamente. Pero he descubierto que llega un momento en que las gafas vienen por sí solas. Descomponer en pedazos los sistemas estructurales y sociales en los que vivimos, examinarlos y cuestionarlos te abre los ojos a esa nueva realidad. Si además trabajas a nivel energético, procuras hacer caso a tu intuición, mantienes tu sistema físico en buen estado y desarrollas un poco tus percepciones sensoriales, esas gafas se convierten en telescopios.

La población humana ha sido guiada ciegamente por un sinfín de falsos caminos, y manipulada según ciertos intereses y agendas, muchas veces contradictorios, por varios grupos de decenas de estos agentes de control de la Matrix. Esto ha derivado en todo tipo de acontecimientos con nefastas consecuencias para el grupo más frágil (simbólicamente hablando), la masa general de la población.

La información está tan compartimentada, y ha sido tan manipulada y tan ocultada, que lo que uno cree que sabe no es sino una fracción muy pequeña de lo que saben aquellos que se encuentran en los escalones superiores de los círculos y estructuras de poder del planeta.

Parte de este proceso de supresión de la información está diseñado específicamente para mantener estas estructuras de poder, para negar la existencia de niveles fuera de aquellos normalmente perceptibles por el humano medio, especialmente en lo que concierne a la milenaria interacción y sumisión a razas *off-planet*.

Al tratar de analizar estas estructuras de poder que percibía en nuestra sociedad, como resultado del sistema de control, se me planteó la duda de si debía hacerlo desde lo más básico hacia lo más poderoso y oculto, o al revés. Está claro que, cuanto menor es el nivel de poder, más público es, más información existe y menos control ejerce. A medida que uno sube en la escala de esta pirámide de control, la información es mucho más escasa, los cabos son más difíciles (si no imposibles) de atar y las conexiones desaparecen. Lo único que aparece en el último nivel es una necesidad, la necesidad de sobrevivir energéticamente, evidenciada por un grupo de entidades que no podemos ver, sobre las cuales hay literatura, sí, pero que siguen siendo un misterio cuyas piezas no podremos encajar en su totalidad, a menos que demos el salto evolutivo en el cual estamos inmersos. Solo entonces podremos, teóricamente, enfrentarnos cara a cara con estas entidades y grupos, aunque no vaya a ser necesario.

El primer nivel de la estructura de poder y control es el que nos permite comprender el nivel inmediatamente inferior, que a su vez nos ayuda a comprender el siguiente, que a su vez empieza ya a ser un nivel del cual podemos obtener cierta información, que nos lleva a un nivel que se puede investigar más o menos abiertamente (consecuencias aparte). Y así finalmente llegamos al nivel del día a día en el que existimos la mayoría de las personas.

Aunque este libro ofrece simplemente una aproximación al tema, confío en que, a pesar de los pocos datos verificables sobre algunos peldaños de la escalera, esta información sirva para hacernos despertar, como en el sueño que tuve, a la evidencia de que, aunque no sea posible (quizás) desmontar este castillo de naipes por completo en estos momentos en los que estamos como raza, sí podemos hacerlo tambalear, destruir algunas piezas, montar otro mejor y cuando nos toque, escapar, escaleras arriba, hacia una forma de vida en la que ya no nos afecte.

Actualmente, la forma en la que yo concibo las estructuras de poder en la Tierra es tal y como lo muestra la tabla siguiente:

**Nivel 1. La interfaz y los verdaderos controladores del planeta:** Entidades de fuera, nuestros creadores, polaridad de servicio a uno mismo. Supuesto origen de nuestros creadores: constelación de Orión, Alfa Draconis, Sirio, Zeta Reticulí, etc.: Anunnakis (Reptoides), Dracos, grises, y otras razas mantoides, insectoides y otras STS, principalmente, que se reparten el pastel. El grupo que hace de interfaz entre estas razas y los seres humanos son los llamados "hombres de negro", conocidos principalmente en el campo de la ufología.

**Nivel 2. Círculos de poder internos.** Miembros de linajes muy antiguos que forman parte de la gestión de la humanidad en su más alto nivel. Fueron apartados de varias manipulaciones genéticas por las razas creadoras para que tuvieran un cierto ADN que les permitieran interactuar tanto con estas como con la recién creada especie que somos. Por lo tanto, han estado siempre en control de la gestión del sistema de vida en la Tierra obedeciendo a los grupos off-planet que se consideran nuestros creadores.

**Nivel 3. Sociedades secretas completamente desconocidas con control global.** Sociedades y grupos desconocidos. Sin figuras públicas. Control total y absoluto sobre los niveles inferiores. Muy pocas personas conocen algo del nivel 3. El nombre genérico simplemente sería "los gestores del planeta" en los niveles secundarios de poder, los controladores, los Illuminatis en su versión de "élite dentro de las élites". El llamado Papa Negro, jefe de los jesuitas, es la persona con mayor poder en este círculo, y parece ser la única figura "pública" que tiene acceso a este nivel.

**Nivel 4. Sociedades públicamente "secretas" con control global.** Red de control mundial. Sociedades secretas "públicas": masones como representantes públicos de los Illuminatis, jesuitas, bajo el control del Papa Negro, Caballeros de Malta, como la orden militar de los jesuitas, etc. Red de control reducida de los principales grupos del nivel inferior. Los personajes con mayor poder en este momento en este ámbito son el llamado Papa Negro, jefe de los jesuitas como hemos dicho, y los altos "cargos" de las diferentes iglesias y religiones del planeta que poseen los grados "Illuminatis" más altos (ocultos) dentro de las jerarquías y estructuras de estas sociedades. Aquí se encuentran también las diferentes familias en el poder conocidas por la mayoría de la sociedad como Rothschild, Rockefeller, etc., que ejecutan y coordinan las acciones que Anunnakis, y Grises, a través de los "hombres de negro", transmiten a los Illuminatis, principalmente a los jesuitas.

**Nivel 5. Grupos globales de control y manipulación.** Bilderberg, la Comisión Trilateral, Council of Foreign Relations, el Club de Roma, el Comité de los Trescientos, gobiernos secretos y paralelos detrás de los gobiernos públicos, agencias tipo NSA, CIA, Mossad, OTAN. Organizaciones religiosas en su conjunto: el Vaticano, Opus Dei, etc. Miembros de la realeza. Poderes principales detrás de cada uno de los grupos u organizaciones del nivel inferior. La financiación para diferentes operaciones de los niveles superiores se consigue principalmente por el control bancario de este nivel. Los miembros de la realeza forman parte de las líneas de sangre que no fueron "tocadas" tanto en las consecuentes manipulaciones genéticas sufridas por el ser humano.

**Nivel 6. Grupos de control e influencia nacionales e internacionales.** Grandes empresas e industrias, complejo militar, grandes medios de comunicación, grandes farmacéuticas, bancos y empresas de control económico, agencias de calificación, principales *think tanks* (instituciones, grupos de expertos, grupos de presión social, etc.). Organizaciones religiosas.

**Nivel 7. Gobiernos "públicos".** Figuras públicas elegidas "democráticamente", principales marionetas de cara a la masa de la gente, primer nivel de poder percibido por el conjunto de la sociedad (ministros, presidentes de gobierno, autoridades públicas, etc.).

**Nivel 8.** Masa de la humanidad.

Otra forma de verlo es usando un diagrama de círculos concéntricos, donde el poder real se guarda en el centro y cada uno de los niveles anteriores protegen al nivel inmediatamente superior, de forma que es imposible para alguien del exterior, penetrar hasta los círculos de poder más secreto.

Para explicar la tabla de forma general, antes de analizar escalón por escalón, a primera vista se intuye, empezando por abajo, que quienes tienen el poder en los niveles 6 y 7,que están muchas veces en paralelo, se mueven por el deseo de alcanzar riqueza, poder y capacidad de control. Muchos de los que copan posiciones de poder en estos niveles son personas sin escrúpulos sin sentimientos, gente sin ninguna empatía por el género humano, algunos psicópatas. A medida que subimos, en los niveles 4, 5 y 6, la perspectiva cambia un poco. Las motivaciones suelen ser el puro deseo de dominación, control y manipulación, pues son personas que poseen muchas riquezas materiales. Por supuesto, los del primer nivel solo pretenden mantenernos como “comida” y recursos disponibles. En general, en las posiciones de poder de todos los niveles hay tanto "oscuros" e "hijos de las sombras" como personas en un proceso de evolución hacia la polaridad negativa.

Así que para un humano “normalito”, la cosa está bastante complicada. Además, en todos los casos, los grupos se solapan en ciertas áreas y los límites pueden ser difusos. Normalmente los de arriba dictan la agenda a los de abajo, pero una persona puede pertenecer a diferentes grupos de distintos niveles y representar diversos papeles según convenga a sus intereses y a los de su grupo en particular.

No olvidemos que muchos de los miembros de estos poderes y niveles provienen de linajes muy antiguos, ancestrales, muy inteligentes, pues no sufrieron parte de la modificación genética sufrida por el resto, pero que también muchos otros son simples peones, usados cuando son necesarios y descartados luego y, la mayoría, no solo no tienen reparos, problemas morales, ética ni sentimientos de empatía hacia otros, sino que, por su propia polaridad evolutiva y energética, buscan la generación de eventos y sucesos para su propio avance y crecimiento en el camino escogido.

Por otro lado, en esta jerarquía, nadie que está en un nivel inferior conoce realmente lo que sucede en un nivel superior. Es probable que sean muy pocos los seres, humanos o no, que se encuentren en el grupo de más alto nivel. En alguna escasa literatura, se le ha intentado poner nombre a las élites dentro de las élites, llamándolos los *Incunabula*, *Quorum*, o, como todos estamos acostumbrados a oír, los *Illuminatis*.

Cada nivel obedece órdenes del nivel superior, así como nuestros políticos obedecen órdenes de los banqueros, la industria, las instituciones y los grupos de presión. Estos, a su vez, obedecen a grupos tales como Bilderberg (de los cuales también forman parte) o a agencias de poder, servicios secretos, gobiernos en la sombra, etc. Por su parte, estos integran paralelamente sociedades tan conocidas como los masones o *Skulls and Bones*, por nombrar un par, que son las que deciden lo que estos grupos globales ejecutan. Pero, a su vez, dependen de organizaciones todavía más secretas a las que pocos tienen acceso.

Los miembros de esas sociedades secretas deciden el rumbo del planeta. Pero, a su vez, dependen del rumbo marcado por el último eslabón, la conexión con el grupo o grupos de entidades *off-planet* de otro nivel evolutivo, que, como decía Charles Tort, son o se consideran nuestros "dueños".[2]

---

[2] «I think we are property». Charles Tort, *The Book of the Damned (El libro de los condenados).*

Por eso, aunque tenemos claro que el primer eslabón de esta pirámide de poder busca mantener el dominio sobre la humanidad porque somos su fuente de alimento energético y una fuente de recursos de todo tipo, se nos hace difícil comprender que el resto de los eslabones inferiores simplemente se limiten a ejecutar los métodos que aseguran que esta fuente de alimento no tenga opción de rebelarse, desconectarse o desaparecer. De hecho, se nos funden muchas neuronas al darle vueltas al asunto, porque no nos cabe en la cabeza que algo así tenga ni pizca de lógica.

Además, en el nivel 2, en la parte humana, la motivación parece ser más bien tener el poder de regir y controlar el destino de un planeta entero, de la humanidad en su conjunto. En muchos casos, aquellos que pertenecen a los grupos y sociedades de los niveles 2 y 3 se consideran los elegidos, por derecho histórico, para gestionar el planeta. Quizá interpretan que lo hacen para conducirnos al bien mayor de la raza humana. Por muy errados que estén, eso es lo que creen, así es como lo ven, o eso es lo que nos han dicho: que están convencidos de que son ellos los que "por mandato divino" deben mover los hilos de la humanidad, los responsables de su rumbo. No ansían riquezas, pues las tienen todas; no ansían más que poder sobre los demás, ser los dueños y amos del destino del globo. Han sido tan engañados y manipulados desde los más remotos tiempos por los verdaderos controladores que no son capaces de ver (o quizá sí, pero no les importa) que, a su vez, ellos son manipulados por otros intereses mucho más espeluznantes. Al menos yo lo intuyo así. Lo percibo y no soy nadie y no tengo acceso a la información a la que las personas de esos niveles acceden. Pero sé que la polaridad de servicio a uno mismo tiene el defecto de "ver las cosas solo como se las quiere ver", mientras que la polaridad del servicio a otros tiende a percibir la realidad "como es". Y cuando uno ve la realidad como es, porque además tu ser y tu Yo Superior te lo hacen ver, se da cuenta de que hasta los que más mandan son peones en la escala cósmica de este juego de la vida.

Esta escala de poderes tiene muchísimos sub-niveles, y cuando bajamos un poco más cerca de lo que ya conocemos, entonces sí vemos con total transparencia que el deseo último de estos grupos, de los niveles 6 y 7 solapados, apunta a conseguir el dominio absoluto de todas las áreas de la vida de la gente, con sistemas globales de gestión, gobierno y supervisión. Esto se traduce en algo de lo que todos hemos oído hablar: el gobierno mundial único, el sistema financiero único, el control de la población al detalle, el control de su educación, de su salud, etc. Aunque muchas de estas cosas ya existen en los niveles más altos, aún deben terminar por implementarse en los niveles inferiores. Ya existe un grupo reducido de personas que controlan a los grupos más numerosos, que controlan a los que deciden quién gobierna un país, un sistema económico o un movimiento social. Así que ahora se trata simplemente de seguir generando y provocando los eventos y situaciones que lleven a implementar estos últimos mecanismos de control y supervisión en todos los niveles de la sociedad.

Nosotros, que estamos en el nivel más bajo de esta pirámide o escala de control, en el círculo más externo, solo podemos percibir el efecto final de las decisiones tomadas o de las acciones ejecutadas para que una idea o concepto (por ejemplo, tener monitorizada a toda la población como se tiene marcado a todo el ganado) se lleve a cabo.

Y así están las cosas. Lamento presentar una imagen tan pésima del mundo en el que vivimos. Pero, si no abrimos los ojos, poco podremos hacer para cambiar el rumbo del barco. ¿Hay seres de luz que trabajan para echar un cable? A patadas. Pero están encarnados como tú y yo, y tienen nuestras mismas limitaciones físicas para luchar contra el sistema. Porque "desde fuera" no se puede intervenir, la regla del libre albedrío lo impide. Así que, si se quiere ayudar, hay que remangarse y encarnar en el sistema para trabajar desde dentro. Los que han venido a salvarnos estáis leyendo este y muchos otros libros, imbuidos en cuerpos de carne y hueso, tratando de recordar por qué estáis aquí y qué hacer con esa misión que te auto asignaste antes de encarnar.

El problema, simplemente, es que la estructura de control es compleja, y que, además, opera en decenas de niveles, en centenares de escenarios, con múltiples planes. ¿Por qué? Porque todo cambia, fluye; porque los peones del juego, la gran masa de la población, son realmente quienes dirigen el rumbo del barco; porque nada puede pasar sin los de abajo; porque, si un buen día no hacemos caso a nada de lo que estos grupos y niveles de control públicos, semipúblicos y en la sombra nos imponen, el barco no se mueve o, al menos, no se mueve en la dirección que ellos desean.

El problema es que la gran masa de la población no es la dueña de los recursos, instituciones y herramientas de gestión de la sociedad. Todos los mecanismos de cambio físico se encuentran en manos de psicópatas, portales orgánicos y personas manipuladas por las razas que nos manejan. Todos los mecanismos menos uno: nuestro libre albedrío y nuestro poder de dejar de ser fuente de alimento, mano de obra o mera diversión para ellos.

Lo bueno es que empieza a ser normal que multitud de personas se den cuenta de que este control planetario ya está en marcha desde hace tiempo. El problema es que nos quedamos tal cual, impotentes, porque, después de leer algo así, lo primero que se nos pasa por la cabeza es: *"¿Y yo qué puedo hacer contra esto?"*

A lo largo de los capítulos siguientes aparecerán nombres por aquí y por allá, algunas figuras conocidas, individuales y públicas, como Adam Weishaupt, Albert Pike o Cecil Rhodes, pero el resto del tinglado se menciona siempre a nivel de organizaciones y, cuando algo destaca, como mucho a nivel de linajes, como los Rothschild.

Porque ¿Quién está realmente detrás de todas esas organizaciones? ¿Quién da las órdenes, mueve las fichas, toma las decisiones? ¿Quién forma parte de cada uno de los grupos, niveles, etc., que hemos visto?

La respuesta es simple: personas que no conocemos y que jamás han salido al foco de la luz pública, pero que tienen muy clara la estrategia a seguir para implementar sus planes: divide y conquista. Como dice John Coleman en su libro *El Comité de los 300*, cada división natural o artificial entre la gente, cada ocasión para levantar odios, enfrentamientos y conflictos, se explota, se amplifica, se consolida. Se polarizan los grupos raciales o étnicos, o se avivan sentimientos nacionalistas entre pueblos y personas, acelerados por sucesivas maniobras políticas y económicas. Solo de esta forma se puede mantener un control total sobre el planeta, pues todos sus habitantes están pendientes de pelearse y enfrentarse entre ellos, o de defenderse de enemigos creados artificialmente. De hecho, este sistema de control usa uno de los principios más bien definidos en el libro *1984*, de George Orwell, el que reza que, en cualquier reunión debe haber, abiertamente o de incógnito, un miembro del sistema de control en cualquiera de sus niveles. En toda organización que lucha contra el sistema, hay decenas de infiltrados, de personajes que pertenecen a la estructura de control, que tratan de mantener el sistema. Extrapólalo a la situación que desees, y siempre encontrarás el mismo patrón y la misma norma. Para los controladores del planeta, nada puede quedar sin monitorizar. Para ello se adoptan la filosofía hegeliana, la dialéctica del materialismo, el ensalzamiento del poder como objetivo. Funciona con el principio de la tesis, la antítesis y la síntesis, el llamado problema-reacción-solución.

El sistema de control organiza y financia una parte de cualquier tipo de problema, luego organiza y financia la parte opuesta, y sin grandes esfuerzos, hacen que ambas partes entren en conflicto. Los controladores también deciden el desenlace, que finalmente presentan a las partes como la solución e implementan con total aceptación por ambos bandos. Ejemplos no faltan. John Foster Dulles, estadounidense, se encargó de organizar que Hitler recibiera todos los fondos que necesitara, a pesar de que no tenía ninguna relación con el partido nazi ni con su ideología. David Rockefeller siempre fue muy bien recibido en Moscú, a pesar de que jamás se lo asoció al comunismo o sus ideales. El sistema de control tiene representantes en todas las posiciones de poder importantes del planeta, en todos los países, instituciones o sistemas políticos.

Con respecto a las líneas de sangre de los controladores del planeta, aquellas personas que se encuentran en los niveles 4, 5 y 6 de nuestra pirámide de poder, uno de los mejores investigadores del tema es sin duda Fritz Springmeier. En su libro *Los linajes de los Illuminatis*, publicado en noviembre de 1998, ofrece multitud de detalles y analiza a trece de las familias que mueven los hilos en el planeta, ubicadas por encima de casi todos los organismos que hemos comentado hasta ahora. Cabe recordar que, en el año 2003, Fritz fue sentenciado a nueve años de cárcel por su supuesta participación en un robo a mano armada en Oregón, según la versión oficial. Así se puso fin a sus veinticinco años de investigación sobre estas familias y linajes ancestrales.

Estos linajes principales que copan los niveles medios de poder en la escala anterior, según Springmeier son: los Astor, los Bundy, los Collins, los Dupont, los Freeman, los Kennedy, los Li, los Onassis, los Reynolds, los Rockefeller, los Rothschild, los Russell y los Van Duyn. Es muy probable que ni siquiera miembros de estos linajes tengan el poder real, sino que estén por debajo de otras líneas que jamás conoceremos por haberse mantenido en la sombra desde los inicios de la creación de la humanidad.

En la introducción de su libro, Springmeier dice:

> Me complazco en presentar este libro a todo el mundo que ama la verdad. Un gran maestre Illuminatis una vez dijo que el mundo es un escenario y todos nosotros somos actores. Por supuesto que este no es un pensamiento original, pero ciertamente describe el punto de vista Illuminatis sobre cómo trabaja el mundo [...].
>
> No soy un teórico de las conspiraciones. Yo trato con cuestiones reales, no con teorías. Me he reunido con algunas personas sobre las que aquí escribo. Algunas de las personas que aquí menciono están vivas y son muy peligrosas. La oscuridad nunca ha gustado de la luz. Aún muchos secretos de los Illuminatis están celosamente guardados, porque el secretismo es una forma de vida [...].
>
> Yo no temo que los Illuminatis vengan y tomen este país y se hagan con la Constitución, pues ya lo tomaron hace mucho tiempo. Ya controlan todo tipo de partidos políticos, tanto los minoritarios como los mayoritarios. Ya controlan el flujo de la información y el proceso de los gobiernos, controlan también la creación de dinero y, finalmente, controlan el cristianismo [...].
>
> Hace mucho tiempo, en las oscuras páginas no escritas de la historia humana, poderosos reyes descubrieron cómo podían controlar a otros hombres mediante la tortura, las prácticas mágicas, las guerras, la

política, las religiones y cuestiones de interés general. Estas familias elitistas diseñaron estrategias y tácticas para perpetuar sus prácticas ocultas. Capas y capas de secretismo han escondido a estas familias de las masas profanas, pero muchos autores se han referido a su existencia. Yo comencé mi búsqueda cuando empecé a recibir noticias de primera mano de gente muy informada de que un grupo elitista dirige el mundo. Mi búsqueda acerca de la jerarquía de Satán comenzó rápidamente debido a mis habilidades como investigador y porque conocía desde el principio a informantes relacionados con la realidad que estaba investigando. Mi investigación sobre los Illuminatis me condujo a leer y a devorar cerca de mil libros. No sé cuántas noches pasé en vela estudiando con los ojos rojos y la mirada borrosa, hasta que finalmente me colapsaba, víctima del sueño [...].

[...] Uno de estos linajes [de los que controlan el planeta] es el linaje Ishmaeli, una línea élite especial que desarrolló la alquimia, técnicas de asesinato y otras prácticas ocultistas. Otro linaje tiene raíces y conexiones en Egipto, así como entre los celtas y los druidas, desde el cual el druidismo fue desarrollado. Otro linaje se estableció en Oriente y desarrolló la magia oriental. Otro más proviene de Canaán y los canaanitas. Tuvo primero el nombre de Astarté, después Astorga, luego Ashdor y finalmente Astor. Uno de los linajes se remonta a Babilonia y desciende de Nimrod [...].

A través de los años, el mundo de lo oculto se ha mantenido ignorado por los libros de historia. Han gobernado entre bambalinas. Cada una de las religiones y escuelas de misterio tiene sus secretos, concilios que los gobiernan. Cada concilio está sometido a un gran concilio supremo, con su respectivo cuerpo gobernante. Estos linajes controlan a las masas y a los líderes políticos. Cuando recién comencé a investigar a los Illuminatis, me di cuenta de que la imagen clara del desarrollo en los libros de historia fue alterada, y que un gran poder estaba concentrado en las oligarquías en torno al mundo. "Pero

¿quiénes son estas personas poderosas?", me repetía constantemente. "Si hay una conspiración, ¿quiénes son los conspiradores?"

Muchas personas de distintos lugares han confirmado que hay trece linajes de Illuminatis principales. Además, muchos ex Illuminati con información desde dentro han confirmado mi lista de los trece linajes.

Los libros de historia están repletos de información acerca de la élite y de las masas. Es interesante ver que, con mirada muy analítica, bajo el escrutinio y el examen, el investigador encuentra que estos grupos han perpetuado su poder durante siglos. Y han trabajado codo con codo con otras élites y familias para controlar a las masas.

Cuando se aprecian bajo una mejor luz, las guerras entre los reyes ya no parecen ser guerras entre facciones de la élite, sino guerras ingeniadas para el control de las masas por parte de sus gobernantes elitistas y codiciosos. Pero ¿quiénes son estas gentes? La pregunta no puede ser contestada como uno esperaría, ya que el poder viene en muchas formas y tamaños. El poder no tiene que ser altamente visible para estar activo. De hecho, debido a su oscura naturaleza, estos linajes malignos han tratado tradicionalmente de mantenerse en secreto.

Yo creo que los hechos hablan por sí mismos. David Hill, quien estaba estudiando a los Illuminati, perdió su vida porque, como masón de alto rango, estaba cerca del círculo interno que trabajaba para la mafia. Recibí el manuscrito de la investigación de David Hill dos años después de haber comenzado a informar sobre las trece familias. David Hill hizo lo que yo hice originalmente: comenzó a hacer preguntas y empezó a escarbar para saber quiénes eran los que movían los hilos del poder en este país. Ambos, tanto David como yo, descubrimos los nombres de varias de las más obvias y poderosas familias. Por ejemplo, en sus notas, David escribió: "Sí, es un hecho,

> los Mellon, los Carnegie, los Rothschild, los Rockefeller, los Duke, los Astor, los Dorrance, los Reynold, los Stiliman, los Baker, los Pyne, los Cuilman, los Watson, los Tuke, los Kleinwort, los Dupont, los Warburg, los Phipps, los Grace, los Guggenheim, los Milner, los Drexel, los Winthrop, los Vanderbilst, los Whitney, los Harkness y otras familias superricas e iluminadas forman parte del sistema de control" [...].
>
> Cuando me di a la tarea de conjuntar lo que había escrito sobre las trece familias, me di cuenta de que mucho de lo que decía encajaba con lo escrito por otras personas sobre los Illuminati en general. Usted leerá acerca de la vida de los Illuminati, el control de los Illuminati, las organizaciones Illuminati, incluyendo la ALC, el Bohemian Grove, el Club Cosmos, el CFR, el Club de Roma, el Consejo de los Nueve, el Consejo de los Trece, que es el Gran Consejo Druida, la Sociedad Jason, el Grupo Jason, el Saturis Ordo, los grupos de la OTO, MI-6, MJ-12, las Madres de la Oscuridad, la Sociedad de los Peregrinos, el Priorato de Sión, la Iglesia del Proceso, el Sanedrín, el Templo de la Energía y otros grupos. Mis dos libros compactos dan los detalles de lo que está en las Escrituras: "El mundo entero está bajo el Maligno y el Dios de este reino es en plena realidad Satanás".

Aunque estas últimas palabras de Springmeier tienen un trasfondo católico, ya que su formación y sus creencias así lo reflejaban, el mensaje es el mismo: quienes mueven los hilos están en contacto con seres o entidades de otro nivel evolutivo, de otra polaridad, a los que sirven a cambio de mantener el poder que poseen dentro del sistema de control. Ni Dios ni Satán tienen nada que ver, desde un punto de vista más moderno, sino que, como hemos explicado en la primera parte del libro, nos hemos convertido en rehenes energéticos de otro grupo, como un rebaño de ovejas es rehén del pastor y sus perros. En este caso, es cuestión de control, de alimento, de poder, de dominación. Os recomiendo la película *6 días en la Tierra*, basada en las investigaciones del doctor Corrado Malanga, mencionada cuando hablábamos de los portales orgánicos, pues permite visualizar algunos de estos temas.

## La estructura de control nivel a nivel

Empieza ahora la parte más difícil del libro, el estudio de las conexiones entre grupos nivel a nivel. Intentaremos tirar de la madeja para encontrar el origen de la hebra de lana, el principio de los inicios, para estudiar las repercusiones en cascada y la historia y entender cómo se han ido formando estos diferentes niveles de control, a medida que las grandes ideas y planes de unos pocos individuos iban tomando forma y debían implementarse físicamente en el planeta.

### Nivel 1. Los verdaderos amos del mundo y la interfaz con las razas creadoras del ser humano

En la primera parte hemos visto el nivel más alto de nuestra estructura de control: entidades de otro origen, polaridad de servicio a uno mismo. Controladores y dueños del planeta. Como ya he comentado, las entidades y razas que nos manejan se alimentan de las energías generadas por nosotros, así como nosotros nos nutrimos de animales y plantas. Igual que cuando descubres un menú bueno y barato sueles ir a comer siempre al mismo sitio, si un grupo o raza puramente negativo, con estas características, de servicio a uno mismo, descubre un restaurante impresionante llamado planeta Tierra, monta un sistema de control de todo el entorno para asegurarse los suministros de forma constante e ininterrumpida. Desde hace milenios, hemos tenido visitantes de otros sistemas. Nuestros antepasados los llamaron "dioses". Estos dioses trajeron su tecnología, sus enseñanzas, sus métodos y crearon su propio sistema de dominio de la raza humana, y su interacción con las antiguas sociedades humanas dio lugar a las primeras élites, a los primeros grupos de poder. Estos tenían el privilegio de interactuar con estos "dioses", que se hacían visibles o invisibles a voluntad, poseían artefactos que volaban por el cielo arrojando llamas y fuego, tenían otra fisonomía y, sobre todo, poseían el poder de controlar todo a su antojo.

Estas primeras élites son complicadas de clasificar. De hecho, tenemos que recurrir a fuentes menos ortodoxas, o más difíciles de verificar, como investigaciones en el campo de la ufología, tal como hicimos cuando hablábamos de los portales orgánicos. En este caso, un libro muy interesante de leer es el escrito por Anthony F. Sánchez, llamado *UFO Highway*, el cual describe una entrevista a un militar retirado del ejército americano que supuestamente trabajó, o tuvo acceso, a la base militar-científica de Dulce, en Nuevo México, una de las bases americanas más famosas por los cientos de historias que corren sobre ella respecto a la interacción entre humanos y "grises" durante décadas, empezando en los años cuarenta, y, probablemente, no sabemos, todavía en funcionamiento.

Una de las cosas más interesantes del libro es básicamente la información sobre la interacción hace miles de años de la raza humana de entonces con diferentes grupos de seres provenientes de otros lugares, planetas y sistemas solares. Esta "historia" conjunta, aparece en tablillas metálicas encontradas inicialmente en los años cuarenta en la zona donde hoy está la base militar, de escritura cuneiforme supuestamente parecida a la escritura sumeria, y que, supuestamente, son tablillas pertenecientes a una de las razas de "grises" que, dice de nuevo el libro, llevan habitando en el subsuelo de Nuevo México, desde no se sabe cuándo (¿siglos, miles de años?).

Para no desviarme del tema, y teniendo en cuenta toda la desinformación que se ha generado en torno a Dulce, que es casi tan famosa como el Área 51 en Nevada, lo que es interesante del libro de Anthony Sánchez es la afirmación de que, efectivamente, las élites actuales del planeta tienen sus orígenes en la "mezcla" entre aquellos primeros "dioses" y la raza humana de entonces, dando lugar a unos linajes, (que diferentes enseñanzas les han puesto diferentes nombres) y que con el paso de miles de generaciones, son los linajes que se mantienen en el poder hoy en día y que citaremos un poco más tarde. Así, esta información coincide plenamente con las investigaciones de David Hill o de Franz Springmeier, en la cual, aseguran, los personajes que hoy en día manejan los hilos, son los descendientes de aquellos personajes que tuvieron el dudoso honor de ser los primeros en interactuar con razas de otros sistemas venidas al planeta para usarlo como recurso propio.

Por otro lado, tenemos la información proporcionada por la traducción de miles de tablillas de arcilla encontradas en la antigua capital de Asiria, Nínive, y publicadas por el arqueólogo Zecharias Sitchin donde explica con detalle la creación de la humanidad por seres reptoides de otro sistema (llamados Anunnakis en las tablillas sumerias), que simplemente vinieron a nuestro planeta en busca de recursos y encontraron que la vida homínida de aquel entonces cumplía todos los requisitos necesarios para convertirse en los esclavos y mano de obra perfecta. Así, esta raza, llamada Anunnakis, crearon a los "humanos", a partir de la manipulación genética de formas de vida anteriores presentes en el planeta (y los llamaron Lhulus), mezclándolo con ADN reptoide de otra raza (los Manus, originarios de nuestro planeta, pero de características reptoides) y su propia raza. De ahí nació el término Lhumanus → humanos.

A partir de aquí, simplemente sucedió que a una parte de los nuevos seres humanos se los modificó y creó de forma diferente, algunos con más ADN reptoide, otros con menos, algunas familias fueron puestas en el poder para servir de enlace entre las razas visitantes y los Lhulus, y así tener un eslabón de control que permitiera a los nuevos dueños del planeta establecer el control sobre el mismo.

Todos estos linajes, que ahora nos gobiernan, evidentemente puramente "humanos" después de miles de generaciones, tienen sus raíces en la mezcla genética entre razas "extraterrestres" y la raza humana.

Lo interesante es que si seguimos con nuestra búsqueda de fuentes que nos hablen del sistema de control por parte de un grupo de entidades de otro nivel evolutivo y *off-planet*, volvemos a encontrarnos analogías en las enseñanzas de Gurdjieff, como en una historia que su alumno Ouspensky incluyó en su libro *Fragmentos de una enseñanza desconocida,* que ilustra bastante bien la posición de la raza humana en el planeta con respecto al sistema de control que nos domina:

> Había una vez un mago muy rico que tenía muchas ovejas. Pero, al mismo tiempo, este mago era muy malvado. No quería contratar pastores ni quería levantar una cerca alrededor de la pradera donde pastaban sus ovejas. A consecuencia de esto, las ovejas a menudo se perdían en el bosque, caían en cañadas y demás, y sobre todo se escapaban, porque sabían que el mago quería su carne y sus pieles y esto no les gustaba.

> Al fin el mago encontró un remedio. Hipnotizó a sus ovejas y les hizo creer, antes de nada, que eran inmortales y que no se les estaba haciendo ningún daño cuando les quitaban la piel, que, al contrario, sería muy bueno para ellas e incluso placentero; en segundo lugar les hizo creer que el mago era un buen amo que amaba a su rebaño tanto que estaba listo para hacer cualquier cosa en el mundo por él, y en tercer lugar les hizo creer que, si algo les fuera a ocurrir, no les iba a pasar en ese momento, en cualquier caso no ese día, y por lo tanto no tenían necesidad de pensar acerca de ello. El mago incluso les hizo creer a algunas que eran leones, a otras que eran águilas, a otras que eran hombres y a otras que eran magos.
>
> Después de esto, todas sus preocupaciones acerca de las ovejas llegaron a su fin. Nunca más escaparon, sino que tranquilamente esperaban el momento en que el mago requiriera su carne y su piel.

El mago, en esta analogía de Gurdjieff, son el grupo de entidades de fuera de nuestro planeta y su visión de servicio a uno mismo, y las ovejas somos el resto de la humanidad, desde tiempos inmemoriales hipnotizada para vivir bajo un sistema de control, creyéndose totalmente libre.

Otro autor completamente diferente, Carlos Castaneda, nos ofrece una alegoría prácticamente idéntica en los libros de las enseñanzas de don Juan:

> —Tenemos un predador que vino desde las profundidades del cosmos y tomó control sobre nuestras vidas. Los seres humanos son sus prisioneros. El predador es nuestro amo y señor. Nos ha vuelto dóciles, indefensos. Si queremos protestar, suprime nuestras protestas. Si queremos actuar independientemente, nos ordena que no lo hagamos.

—Pero ¿por qué este predador ha tomado posesión de la manera que usted describe, don Juan? —pregunté—. Debe de haber una explicación lógica.

—Hay una explicación —replicó don Juan—, y es la explicación más simple del mundo. Tomaron posesión porque para ellos somos comida, y nos exprimen sin compasión porque somos su sustento. Así como nosotros criamos gallinas en gallineros, así también ellos nos crían en humaneros. Por lo tanto, siempre tienen comida a su alcance. Quiero apelar a tu mente analítica —dijo don Juan—. Piensa un momento y dime cómo explicarías la contradicción entre la inteligencia del hombre ingeniero y la estupidez de sus sistemas de creencias o la estupidez de su comportamiento contradictorio. Los chamanes creen que los predadores nos han dado nuestros sistemas de creencias, nuestras ideas acerca del bien y el mal, nuestras costumbres sociales. Ellos son los que establecieron nuestras esperanzas y expectativas, nuestros sueños de triunfo y fracaso. Nos otorgaron la codicia, la mezquindad y la cobardía. Es el predador el que nos hace complacientes, rutinarios y egomaniáticos.

—Pero ¿de qué manera pueden hacer esto, don Juan? —pregunté, en cierto modo más enojado aún por sus afirmaciones—. ¿Susurran todo esto en nuestros oídos mientras dormimos?

—No, no lo hacen de esa manera, ¡eso es una idiotez! —dijo don Juan, sonriendo—. Son infinitamente más eficaces y organizados que eso. Para mantenernos obedientes y dóciles y débiles, los predadores se involucraron en una maniobra estupenda (estupenda, por supuesto, desde el punto de vista de un estratega). Una maniobra horrible desde el punto de vista de quien la sufre. ¡Nos dieron su mente! ¿Me escuchas? Los predadores nos dieron su mente, que se vuelve nuestra mente. La mente del predador es barroca, contradictoria, mórbida, llena de miedo a ser descubierta en cualquier

> momento. La única alternativa que le queda a la humanidad —continuó— es la disciplina. La disciplina es el único repelente. Pero con disciplina no me refiero a arduas rutinas. No me refiero a levantarse cada mañana a las cinco y media y a darse baños de agua helada hasta ponerse azul. Los chamanes entienden por disciplina la capacidad de enfrentar con serenidad circunstancias que no están incluidas en nuestras expectativas. Para ellos, la disciplina es un arte: el arte de enfrentarse al infinito sin vacilar, no porque sean fuertes y duros, sino porque están llenos de asombro.

La disciplina de la que don Juan habla no es otra cosa que tomar las riendas de nuestra vida para dejar de alimentar energéticamente al sistema de control. Admito que no es nada fácil, pues desde hace milenios estamos programados para que algo así no ocurra.

## Nivel 2 y 3. Las sociedades secretas y grupos dentro de grupos que gestionan la humanidad

Tras la llegada de los controladores, uno de esos primeros grupos de poder, esas primeras sociedades de la élite de la época que interactuaron con los recién llegados "dioses", reciben el nombre de la Hermandad de la Serpiente. Así se los menciona en pocas, muy pocas, fuentes, a lo largo de la historia, y las primeras noticias sobre su existencia aluden al año 3400 a. C. Probablemente serían los iniciados o personajes de cierto poder de esa época, que se ganaron el favor de los "dioses" (Anunnakis y otras razas) para conseguir de ellos ciertos privilegios. Recibieron de ellos conocimientos, los cuales se guardaron, como todo, probablemente en secreto, ocultos a la masa de la población.

Así apareció, parece ser, el primer grupo que hizo de eslabón entre la raza humana y los seres venidos de fuera. Los primeros controladores del sistema y de las estructuras físicas del mismo, que, poco a poco, empezaron a ser implementadas por estas entidades, cuyo trabajo ha pasado por más de tres mil generaciones hasta nuestros tiempos.

Esta Hermandad de la Serpiente, según Zecharias Sitchin, nació como un grupo secreto creado por Ea o Enki, uno de los dos Anunnakis que compitieron por controlar y/o ayudar a la humanidad, especialmente porque este último había sido el maestro "creador" genético del ser humano. Básicamente lo que las tablillas sumerias nos cuentan es que el hombre fue creado por "extraterrestres draconianos" (dragones, reptoides) que vinieron a este planeta a explotar sus recursos, y, para ello, como hemos visto, Enki creó una raza de seres que pudieran usar con este motivo.

Sin embargo, esto luego cambió con el tiempo, pues a Enki no le gustaba cómo su raza estaba siendo tratada, así que quiso proporcionarle conocimientos y recursos, información de quiénes eran, y cómo habían sido creados. También quería explicarles a los miembros de la sociedad humana que todos poseían un alma y un ser que encarnaba en el cuerpo que genéticamente ellos habían alterado. Puesto que el resto de Anunnakis no compartía esta idea de formar a los nuevos humanos, tuvo que ser hecho en secreto, a través de la primera de las sociedades secretas de nuestra historia.

Por otro lado, esta misma sociedad fue infiltrada por los mismos Anunnakis para distorsionar el conocimiento que se transmitía a través de ella, y que podía acabar con el poder de estas razas sobre los seres humanos. Su propósito a partir de aquí fue manipular a las masas, crear falsas religiones, dioses y profetas. Dieron a la humanidad lo que querían y guardaron el verdadero conocimiento para ellos mismos.

Las principales sociedades secretas que veremos luego, como la masonería, rosacruces, los Caballeros Templarios, la ODO (Ordo Temple Orients), los Caballeros de Malta y muchas otras salieron de esta primera sociedad como escisiones en diferentes partes de la historia del grupo original, especialmente desde el antiguo Egipto.

Uno de estos grupos, aunque también tenemos poca información al respecto, de los más antiguos que aparecen en papiros y tradiciones, que decían tener contacto directo con los dioses, es la llamada Hermandad de Melchizedek, cuyas actividades datan alrededor del año 2200 a. C. Luego aparecen menciones breves a un grupo llamado Illuminati (no tienen nada que ver con los Illuminati de Baviera actuales, que veremos luego), que era totalmente secreto y clandestino, y que también parece ser un eslabón entre los dioses y los humanos, probablemente una rama de la Hermandad de la Serpiente original. Estos Illuminati del pasado vuelven a aparecer mencionados en el siglo XIV en Alemania, como la continuación de los iniciados de mayor rango de la Hermandad de la Serpiente. Luego se les vuelve a perder el rastro. Es posible que de ahí haya surgido la inspiración para el grupo secreto que nosotros conocemos hoy en día como los Illuminati de Baviera.

Desde la fundación de la Hermandad de la Serpiente hasta nuestros días, el eslabón entre la raza humana y las entidades tipo reptoides ha sido principalmente un reducido núcleo de personas que pertenecen al nivel 2 de nuestra pirámide de control, cuyos miembros son conscientes de todo lo que sucede y de por qué sucede. Son miembros de estos linajes ancestrales de los que todavía hoy en día mantienen a sus representantes en el poder. Estos seres del nivel 2 no son figuras públicas. Probablemente no reconoceríamos ni uno solo de sus nombres si estos salieran a la luz, pero controlan de un modo absoluto los niveles inferiores, es decir, todo lo que se mueve en este planeta. Creo también que muy pocas personas del nivel 3, que en parte son visibles, conocen algo de este nivel 2: el núcleo secreto o los grupos interiores que controlan las sociedades secretas "públicas".

¿Cuáles son estos círculos internos? En muchos casos, no se trata de organizaciones como tal, sino de reducidos grupos de personas de varios ámbitos, relacionadas entre sí por contactos personales o lazos de sangre. Según lo que hemos visto, las familias más antiguas del planeta, totalmente desconocidas para nosotros, aparte de la fachada pública que tienen montada, hacen de puente entre ambos lados. En algunas fuentes[3] se los llama el Consorcio o Quorum. Pero no se sabe nada concreto de ellos. Lo que sí sabemos, es que forman parte del llamado "pueblo elegido" por los dioses (Anunnakis) para gobernar al resto. Y aquí volvemos a la historia de Enlil (Yahvé) y Enki (su hermano) y su disputa sobre qué hacer con la raza humana.

En el blog "Detrás de lo Aparente"[4], tenemos un artículo muy esclarecedor al respecto:

> *Comencemos esta historia por el principio, cuando un pueblo fue elegido por su genética como el más apto para cumplir el propósito de un "dios"*

---

[3] Experimento Casiopea, Laura Knight, http://cassiopaea.org/

[4] http://detrasdeloaparente.blogspot.com.ar/2014/08/el-gobierno-secreto.html

egocéntrico, cruel y vengativo llamado en hebreo antiguo, יהוה (Y H V H), y cuya pronunciación es desconocida. Su traducción se conoce comúnmente como "Tetragrámaton", que significa "palabra compuesta de cuatro letras". YHVH es un dios menor perteneciente a los descendientes de una raza extraterrestre conocida bíblicamente como Elohim (אֱלֹהִים) una palabra cananea que significa "Ellos". Los descendientes de los Elohim, fueron los Nefilim o Nephilim (נְפִלִים) "los caídos", que fueron los primeros faraones egipcios, dioses extranjeros honrados y respetados por los primeros semitas del medio oriente, descendientes de Sem, primer hijo de Noé. Si bien en lingüística la palabra semita tiene un significado mucho más amplio, abarcando un grupo de pueblos y etnias que forman una familia lingüística que incluye las formas antiguas y modernas del acadio, el amhárico, el árabe, el arameo, el fenicio, el ge'ez, el hebreo, el maltés, el yehén, el tigriña y la lengua de todos los pueblos árabes en general, el pueblo semita al que nos referimos en este relato es el de lengua hebrea. Los jerosolimitanos, habitantes de la antigua Jerusalén, hablaban el yehûdît, "judeo", que luego por deformidad y asociación, se le llamó "judío" a todo hebreo que profesaba el Judaísmo y también al perteneciente a la tribu de Judá, una de las 12 tribus de Israel que son las siguientes:

- Rubén
- Simeon
- Leví
- Judá
- Dan
- Neftalí
- Gad
- Aser

- *Isacar*
- *Zabulón*
- *José, (Efraín y Manasés)*
- *Benjamín*

*YHVH celoso del poder de los faraones humanos que ahora ocupaban el cargo que antes tenía su raza, decide cambiar el juego consiguiendo gobernar y obtener poder, adoración y pleitesía, sin necesidad de sentarse en un trono y pasar las amargas peripecias de una vida terrenal. De esta manera elige una de las razas semitas para ser la ejecutora de sus deseos y crear un inconsciente colectivo que lo adore y cumpla su voluntad, entregando energía y otros fluidos para saciar sus oscuros deseos. De entre todos los posibles candidatos eligen a los hebreos por su genética "malvada", con un gen AVPR1 más corto que lo normal que induce al egoísmo, y un nivel bajo de la enzima MAO-A (monoamino oxidasa) del cromosoma X que induce a la agresión. Cuando el pueblo semítico hebreo, o sea las doce tribus que lo conforman, hacen el pacto con Tetragrámaton conocido popularmente como Yahvé/Jehová, su representante A.S.Baphometo le entrega a Moisés el poder mediante el algoritmo de la Cábala.*

*Este algoritmo es dividido en doce partes que se distribuyen entre las doce tribus, como si piezas de un puzle se tratara, y ninguna de estas partes funcionaba sin la otra, así que los hebreos necesitaban estar unidos para garantizar la eficacia del algoritmo entregado. Luego de muchos conflictos entre ellos, los levitas de la tribu de Leví a la que pertenecía Moisés, aunque este no era verdaderamente hebreo, que fueron consagrados por Tetragrámaton en el momento del pacto, como los encargados del servicio del tabernáculo y luego del templo de Jerusalén, tuvieron una muy oportuna y conveniente idea que propusieron a las once tribus restantes. La tribu de Leví sería la depositaria del puzle completo de la cábala, y a cambio las once tribus restantes tendrían todo el poder necesario para llevar a cabo la agenda y disfrutar de todos sus beneplácitos placeres y prebendas. Así quedó conformado el esquema que de ahí en adelante se llamaría "el pacto de los once de Sion", pues este acuerdo fue firmado en una fortaleza en el Monte Sion, de ahí la palabra Sionista, que hace referencia a ese pacto secreto del poder hebreo y del que nada tiene que ver el pueblo judío, tan inocente y manipulado como cualquier otro.*

*Los once de Sion se ocuparon desde ese momento de ejecutar todo aquello que los Levitas decidían. Posteriormente este esquema de los once de Sion se llevó a cada nación, país o región contemporánea del mundo, y se le nombró como "el gobierno invisible", aquellos que manejaban los hilos de una nación mediante el poder de Silcharde. Sea el país que sea, su gobierno secreto está conformado por once instituciones, empresas u organizaciones judaicas, cada una representada por un miembro de los once de Sion, que tiene el poder suficiente como para presionar, extorsionar y manipular los destinos de un gobierno entero. No existe país occidental fuera de esta agenda y este esquema de control, control que infiltrado a los niveles políticos y económicos más altos, logra que sus Lobbies presionen, sobornen y amenacen a quien sea, sin ningún escrúpulo o remordimiento alguno, para conseguir sus oscuros y siniestros intereses.*

## Niveles 4 y 5. Las sociedades públicamente "secretas" y sus ramificaciones semipúblicas

Justo por debajo en la escala de poder, encontramos las que suelen llamarse sociedades secretas "conocidas".

Este tipo de sociedades son públicas, aunque se las denomine "secretas". Son públicas ya que se conoce su existencia, hasta cierto punto, porque siempre ha habido filtraciones, interesadas o no, sobre su funcionamiento y sobre sus intereses. Ellas mismas alimentan su secretismo como mecanismo de cortina de humo, para mantener al público general interesado en el tema de las conspiraciones masónicas o judías, o para promocionar libros como *El código Da Vinci* o *El símbolo perdido,* de Dan Brown, que ofrecen una imagen completamente inocente o alejada del propósito verdadero de esas organizaciones.

Porque no olvidemos que se supone que muchos de estos grupos no existen o que son simplemente asociaciones inofensivas de personas con ciertos ideales pero sin ningún poder real. Nos referimos a sociedades como los masones, los rosacruces, el Priorato de Sión, Skulls and Bones, los Caballeros de Malta, etc.

A lo largo de la historia, ha habido muchas teorías acerca del papel de estas sociedades en la manipulación de lo que ocurre en el mundo. Y es que, en realidad, una buena parte de las personas que manejan los hilos en los niveles 6 y 7, los más cercanos a nosotros, pertenecen abiertamente a este tipo de grupos del nivel 3 o 4 de nuestra pirámide. Lo bueno es que muchas de ellas, al menos en nuestros días, dejan que se conozcan "listas" de miembros semipúblicas como estrategia para desacreditar toda teoría sobre los verdaderos propósitos del grupo, presentando a sus componentes a la luz del escrutinio general. Cortinas de humo sobre cortinas de humo.

En casi todos los casos, estas sociedades y grupos son muy antiguos, y son los principales responsables de la creación de las estructuras sociales, económicas y físicas del mundo actual. Sus miembros se reparten por toda la escala de poder de los diferentes estratos de la sociedad. En cada nivel, solamente ejecutan la agenda que marca su propia organización. Estas sociedades secretas intervienen en las políticas, las decisiones y acciones que diseñan los grupos globales de control y que implementan los gobiernos o el complejo industrial. Solo un grupo reducido de las personas que ocupan posiciones de poder en los niveles 2, 3 y 4 pertenecen también a este nivel 5.

Estas sociedades pueden tener influencia nacional. Por ejemplo, la orden de los Skulls and Bones está infiltrada en todos los niveles del poder de Estados Unidos, mientras que la masonería es una organización mundial con logias repartidas por los cinco continentes. En todo caso, los miembros de estas órdenes o sociedades, estén en el nivel en el que estén, solo siguen los dictados de su propia sociedad y de sus intereses, sean políticos, banqueros o directores de multinacionales. Existen también agendas contradictorias entre estas mismas sociedades, diferentes intereses, que se manifiestan en conflictos entre ellas y se traducen en directrices contrarias o juegos de poder en los niveles inferiores. Algunas de estas sociedades son mundialmente conocidas. Vamos a ver aquellas que más han marcado el rumbo a lo largo de la historia de la humanidad.

## Primeras organizaciones: la masonería

La masonería es una de las organizaciones más antiguas que existen hoy en día. Su objetivo principal es la transformación y el crecimiento espiritual a través de reverenciar a "Dios", al que llaman el "Gran Arquitecto de todos los mundos", ya que sus miembros provienen de todas las religiones y credos del planeta.

Algunos papiros encontrados en 1888 en el desierto de Libia describen reuniones secretas de grupos parecidos a los masones ya en el año 2000 a. C. Según la leyenda, sus orígenes se remontan a la construcción del Templo de Salomón por Hiram de Tiro, un arquitecto que habría sido el primer masón de la historia. Hiram de Tiro habría establecido jerarquías entre los constructores que estaban bajo sus órdenes, unos ciento cincuenta y tres mil, a los que clasificó como aprendices, compañeros o maestros, estos últimos conocedores de un santo y seña, palabra que mantenían en secreto. Como en toda buena historia, unos compañeros que deseaban conocer la palabra secreta asesinaron a Hiram con instrumentos como la regla, el compás, la escuadra y un mazo, que hoy en día son los símbolos que presiden las logias o asambleas de los masones. Según otras especulaciones, la tradición masónica proviene de una antigua orden esenia que salió del antiguo Egipto, llevándose consigo el poder y el conocimiento almacenado debajo de la esfinge por supervivientes de la Atlántida. Probablemente solo los que están en el grado más alto de la masonería (hasta el treinta y tres son grados "públicos", luego a partir de ahí se inician los grados ocultos Illuminati que van del 34 al 360 donde se encuentra el verdadero poder y conocimiento de la orden) saben cuál es el origen real de la orden.

Durante siglos se pierde el rastro de esta orden. Cuando vuelven a aparecer en la historia, los masones se han convertido en una simple asociación secreta de los gremios de constructores de la Alta Edad Media, en los siglos XI, XII y XIII. Inicialmente solo se transmitían entre ellos los secretos de su oficio, pues era una sociedad estrictamente profesional e independiente (no estaban sometidos a ninguna autoridad). Esto cambió al llegar la Edad Moderna. En las logias de entonces comenzaron a ser incluidos miembros que no eran constructores, a los que llamaban "aceptados". Eran abogados, médicos, comerciantes, etc. Los ritos para iniciarlos en la logia se tornaron más simbólicos. En 1567, los masones ingleses ya se habían dividido en dos grandes grupos. Crearon dos logias separadas, la de York y la de Londres. Poco a poco, empezaron a extenderse por toda Europa y gracias a la colaboración con otra orden, la de los Caballeros Templarios, establecieron en 1717 la Gran Logia Inglesa, con tres grados de iniciación, llamados "grados azules". La expansión masónica continuó cuando en 1725 se creó la Logia Templaria Escocesa, que incorporó a muchos miembros de los Caballeros Templarios, aunque con una orientación política completamente contraria a la Logia Inglesa, pues apoyaron a diferentes líneas reales en sus ambiciones de llegar al trono, con sus consabidas disputas y conflictos.

Sin embargo, esto no es sino la historia más pública. De nuevo, en el blog "Detrás de lo Aparente"[5] encontramos algunos datos mucho más interesantes:

---

[5] http://detrasdeloaparente.blogspot.com.es/2011/12/doblando-la-apuesta.html

*El poder más grande es aquel que se desconoce, y que se oculta y esconde bajo el disfraz del espíritu y la fe. Más grande que el económico, que el militar, que el político, que el financiero, que el dinero y el sexo, más grande que las organizaciones, que los medios y multinacionales, más grande que el hombre mismo, porque fue creado en el mismo momento de la creación del Lhumanu para reinar sobre él, por los siglos de los siglos, trabajando cobardemente con el código fuente del hombre, la fe. La única religión que existe en el mundo es la judía y su sucesora Judeocristiana o Judeocatólica, todas las demás son ramas del mismo árbol. Muchas veces me han preguntado cómo encajan las religiones orientales en el rompecabezas, y la respuesta es simple, no existen religiones orientales, solo son filosofías ancestrales y sabias, que no perturban en lo más mínimo a la Matrix. Solo le hicieron creer que son religiones para mantener la masa en equilibrio, el oriental es oriental y el occidental es occidental. Al oriental le dieron un Buda y al occidental un Cristo, y no les explicaron qué son; en medio, trafican la fe con monedas de salvación y castigo. Mientras tanto ellos usufructúan su inocencia y estupidez y lo llevan a donde quieran llevarlo.*

*Todo lo que usted cree conocer sobre las religiones, los Illuminati de Baviera y los masones o rosacruces es conocimiento para las ovejas, el verdadero tren pasa bajo tierra y es conocimiento de los amos. Como sabrán el símbolo representativo de los masones es el compás y la escuadra entrecruzados, formando un rombo o dos pirámides unidas por su base con una letra G en medio.*

*Pueden encontrar información sobre su significado en la red, también sabrán que el grado más alto de la masonería es el 33 y que la estructura de poder es piramidal. Todo esto es lo que usted tiene que saber, sino no estaría la información al respecto tan a mano, ahora veamos lo que usted no tendría que saber, y yo tampoco.*

*El compás es un instrumento geométrico utilizado para dibujar círculos, y hoy nos ocuparemos solo de él. Un círculo o circunferencia está dividida en grados, conocidos como arcos de círculo en trigonometría, más precisamente está dividido en 360º, el compás masón está abierto a una medida exacta, en un ángulo de 33º que son los grados masones conocidos por las ovejas, la parte visible, los otros 327º son los que forman los círculos internos de la verdadera estructura de poder, la que corre bajo tierra y que usted no ve, y que ni siquiera ven, los que forman parte de la misma. Estos 327º se dividen en cinco círculos internos, el primero va desde el grado 34 al 72, el segundo del 73 al 90, el tercero del 91 al 180, el cuarto del 181 al 270, y el quinto del 271 al 360.*

*En este último círculo, el más interno, se encuentran los Illuminati. Los grados de los círculos internos son otorgados por servicio y sacrificio, usted puede tener un grado 35 y obtener un grado 72 solo por obediencia o conveniencia. Los grados 33, 72, 90, 180, 270 y 360 son de suma importancia metafísica que no explicaré ahora. Cinco círculos internos y uno externo, seis círculos, seis grados especiales y seis imperatores, uno por cada círculo, 666. Todos los Illuminati, masones y rosacruces tienen símbolos o señales que los identifican entre ellos. Igualmente los que forman parte de algún círculo interior también tienen forma de reconocerse entre ellos, más allá de que sean iniciados masones, rosacruces o de cualquier otra orden, pues los círculos no se conectan entre sí, como expliqué en el artículo la estructura de poder, y nadie sabe quién forma parte de cuál. El símbolo o signo que les dice que forman parte de alguno de ellos es el signo de Voor.*

*Cuando alguien hace ese símbolo con sus manos, está diciendo a sus pares, que pertenece a un círculo interno Illuminati, aunque todavía no sea un Illuminati. Una vez dije que un masón no puede ser un Illuminati pero un Illuminati puede ser un masón, esto es porque usted no decide pertenecer a los Illuminati, no va simplemente a golpear la puerta y se anota en el curso de Illuminati en el templo masón o rosacruz más cercano, los Illuminati son elegidos y luego infiltrados donde a ellos les convenga, como expliqué en el artículo soy un Illuminati. Cuando son elegidos todavía no son Illuminati aunque crean serlo, se les ocultan las mismas cosas que a usted o a mí, solo saben lo que deben saber, ni más ni menos, de esta forma se protege la información y la orden. Solo a partir del grado 270 se puede considerar que es un verdadero Illuminati.*

## Los Caballeros Templarios

A partir del siglo XI y XII, pero especialmente antes de 1307, otras organizaciones ejercieron una fuerte influencia en nuestra historia: las órdenes de los Caballeros Templarios y de los Caballeros de San Juan de Jerusalén. La Orden de los Pobres Caballeros de Cristo y del Templo de Salomón, más conocida como los Caballeros Templarios o la Orden del Temple, fue una de las más famosas órdenes militares cristianas. Esta organización se mantuvo activa durante poco menos de dos siglos. Fue fundada en 1118 o 1119 por nueve caballeros franceses liderados por Hugo de Payens, tras la Primera Cruzada, con el propósito de proteger a los cristianos que peregrinaban a Jerusalén tras su conquista. Los masones y los templarios cruzaron sus destinos en el siglo XIV, cuando se mezclaron para fundar la Gran Logia Inglesa. Estos últimos huyeron de Francia y desaparecieron de la escena pública en 1307, esparciéndose por Portugal,

Inglaterra y Escocia, donde en algunos casos cambiaron de nombre para evitar la persecución de la Iglesia. Desde entonces, juraron vengarse y, bajo nuevas identidades, trabajaron con grupos masones en el apoyo a la Reforma protestante. En Escocia participaron en la fundación del rito masónico escocés de treinta y tres grados, uno de los más conocidos actualmente como hemos visto, de ahí su importancia a lo largo de la historia. En su mayor parte pasaron a formar parte de la masonería, a la que incorporaron sus ritos, conocimientos y posesiones para potenciar esta organización semisecreta en casi todos sus niveles.

## La Orden Rosacruz

Siguiendo con esta cronología histórica, nos encontramos ahora con la Orden Rosacruz. Se cree que fue idea de un grupo de protestantes alemanes en 1600, fecha en que se publicaron tres documentos: *Fama Fraternitatis Rosae Crucis*, *Confessio Fraternitatis* y *The Chemical Wedding,* este último escrito por un tal Christian Rosenkreutz en 1459. Sin embargo, según otras referencias del siglo XIV sobre los Illuminati originales (los descendientes de la Hermandad de la Serpiente), esta orden parece tener raíces más antiguas, pues la primera logia rosacruz se habría fundado en Worms en el año 1100. En realidad, esta orden también tiene sus orígenes en las enseñanzas del antiguo Egipto, como un grupo que aglutinó los conocimientos de los primeros faraones con contacto directo con las razas "superiores".

Por ser una continuación más o menos directa de la Hermandad de la Serpiente, los rosacruces claman tener información y conocimiento sobre el origen extraterrestre de la raza humana, las doctrinas secretas egipcias y el esoterismo de las primeras épocas de la humanidad. Se considera que Christian Rosenkreutz es un personaje ficticio, creado para introducir cierta confusión sobre esta organización, algo que veremos a lo largo y ancho de nuestro intento por comprender el origen de los grupos de este nivel de la pirámide de control.

La dificultad de investigar el trabajo y la influencia de los rosacruces en sus inicios se relaciona con el hecho de que, tras actuar a la luz pública durante un siglo, pasaron otro siglo operando en el más completo secreto, en ciclos de 108 años. Así dieron la impresión de que la orden había desaparecido, para facilitar el trabajo de sus miembros.

Martin Lutero, en cuyas enseñanzas se inspiró la Reforma protestante, tenía una relación muy estrecha con la Orden Rosacruz y con los miembros originales de los Illuminati (no los de Baviera, esos nacieron en 1776, como veremos luego). Antes de fallecer cedió el testigo del enfrentamiento con la Iglesia católica a sir Francis Bacon, el Rosacruz de mayor rango en Inglaterra, quien coordinó el proyecto de escribir una nueva Biblia, la llamada Biblia del rey Jacobo ("King James Bible"). Esta Biblia anglófona —que hoy en día es la más leída y usada en los países anglosajones, a pesar de que no tiene ni quinientos años de antigüedad— refleja la filosofía masónica —pues su autor, Francis Bacon, tenía contactos con esta organización—, junto con la filosofía rosacruz.

## La Compañía de Jesús

Como siempre, si hay un bando, aparece otro para combatirlo. Esto fue lo que sucedió con la Compañía de Jesús, más conocida como los jesuitas, fundada en 1534 por Ignacio de Loyola para contrarrestar el avance protestante dirigido por los rosacruces. Con tal misión, los jesuitas nacieron como una organización militar, secreta, con rituales y con grados de iniciación que no tenían nada que envidiar a los de la masonería. Tanto era así que, para convertirte en jesuita de segundo grado, había que jurar la muerte de todos los masones y protestantes. Los jesuitas fueron enviados a Inglaterra a luchar contra los "herejes". Los masones, templarios y rosacruces, que en muchos casos estaban mezclados y colaboraban entre ellos, tuvieron que tener mucho cuidado y proteger sus actividades, secretos y conocimientos para evitar caer bajo el yugo de los jesuitas, lo que solía suponer la muerte.

Actualmente los jesuitas son un grupo temible, porque tienen un poder enorme sobre el Vaticano y la Iglesia católica. Tanto es así que a su general, la cabeza visible de la Compañía de Jesús, se le denomina el "Papa negro", que como hemos visto es la persona con mayor rango dentro de la escala "Illuminati" de nuestro planeta en estos momentos. Su intervención en asuntos globales del planeta a través de las redes de la Iglesia queda bien reflejada en el libro de Eric Jon Phelps, *Vatican's Assassins,* una tremenda investigación de mil ochocientas páginas sobre la infiltración de esta sociedad en las estructuras del planeta a todos los niveles. Profundizaremos el tema un poco más a medida que avancemos en nuestra cronología histórica. Más o menos todo el mundo está de acuerdo en que la religión siempre ha sido un medio de control de las masas, pero, hasta que no te pones a investigarlo, no puedes imaginar el enorme poder de la estructura montada por los miembros de estas organizaciones religiosas.

## Los Sabios de Sión (Elders of Zion)

Seguiremos con el orden cronológico, sin saltarnos los puntos importantes de la creación de las diferentes organizaciones secretas, para que, cuando lleguemos a la época actual, veamos cómo marcan el ritmo de las noticias de cada día.

Otra poderosa organización nacida con el objetivo de controlar Inglaterra son los Sabios de Sión. Agrupaba a la clase judía más poderosa del país, a los rabinos más influyentes y a los líderes políticos judíos y, entre 1640 y 1689, trabajaron incesantemente por el derrocamiento de la Casa de Estuardo de la corona británica, hasta conseguir la coronación del príncipe Guillermo III de Inglaterra (William Prince de Orange), miembro de la masonería, por supuesto. Apenas ocupó el trono inglés, creó la Orden de Orange, una organización anticatólica cuyo objetivo era establecer firmemente el protestantismo en Inglaterra. Esta orden sigue existiendo hoy en día y tiene más de cien mil miembros. Es parte beligerante del conflicto que durante décadas ha sacudido al Ulster.

Guillermo III agradeció el apoyo de los Sabios de Sión aprobando la creación del Banco de Inglaterra, en 1694, el primer banco central privado del mundo, bajo control de los mismos Sabios de Sión hasta nuestros días (fue nacionalizado en 1946 y dotado de "independencia" en 1997, pero ello solo supuso que pasara a manos de accionistas controlados por las ramas de las sociedades y grupos que descienden de los mismos fundadores). Al ser una organización judía, ajena al conflicto entre católicos y protestantes, actuó simplemente para instaurar en el poder a quien podía beneficiarlos en sus planes de control de Inglaterra. Actualmente, la Casa de Hanover, y por línea directa la Casa de Windsor (de origen alemán, que no inglés, pues cambiaron su apellido por las circunstancias), ocupa el trono, con Isabel II, reina del Imperio británico, pues imperio es lo que sigue siendo.

Así pues, este es el primer eslabón tangible de la estructura de control de la población, la economía, a través del primer banco central, el Banco de Inglaterra, en manos de una organización secreta con raíces judías.

Aquí hemos de hacer un inciso, pues es muy importante tener claro que lo que llamamos hoy en día judíos no equivale a la raza semita, a pesar de que eso es lo que se nos quiere hacer creer. La raza semita es la de los descendientes del histórico Noé, hoy en día repartidos entre los árabes, hebreos, asirios y arameos. Los judíos de Israel, aquellas personas que hoy llamamos judíos, son una mezcla de sefardíes, los judíos expulsados de España, y judíos turcos, llamados khazares, de origen caucásico, que genéticamente están más cerca de los hunos y magiares (húngaros) que de los descendientes de Abraham. Los judíos que formaron la organización de los Sabios de Sión eran judíos khazares, no semitas. Ser antisemita, en realidad, es ser antiárabe, anti hebreo, anti arameo o anti asirio. Pero, gracias a la propaganda realizada durante décadas por los grupos de presión ligados sobre todo a la casa de los Rothschild, el concepto se aplica políticamente de otra forma. Hay muchos intereses en juego. Hoy en día, un árabe es un antikhazar, mientras que los verdaderos antisemitas son los propios judíos.

## Casa de Rothschild

No podemos entender el esquema de las organizaciones secretas de este nivel en nuestra pirámide de control sin conocer el papel central que en casi todas ellas desempeñan los miembros de una única familia, los Rothschild. El origen de este linaje se remonta a 1743, pero gran parte de su genealogía permanece en el más absoluto de los misterios (según lo que hemos visto en la descripción del nivel 2, sus raíces estarían en los albores de la interacción de la humanidad con otras razas). El primer Rothschild oficialmente conocido, Mayer Amschel Bauer, era un judío khazar no hebreo, descendiente de un comerciante itinerante de oro. Tras trabajar brevemente en el banco Oppenheimer en Hanover, abrió su propia casa de préstamos, en la que colocó un emblema con un escudo rojo, el símbolo de los judíos khazares de la Europa del Este. Poco después cambió su apellido por el de Rothschild ("escudo rojo", en alemán). En poco tiempo se convirtió en uno de los banqueros más poderosos del momento. Sus cinco hijos lo ayudaron a expandir sus tentáculos por toda Europa, fundando bancos en Londres, Viena, París y Nápoles, financiando operaciones militares, comercio con oro, etc. Estas actividades los hicieron inmensamente ricos, y para ello recurrieron a tácticas de todo tipo.

El poder de los Rothschild no se hizo esperar para hacerse presente en el resto de los grupos y estructuras económicas de Europa. Ya en 1773, Mayer Rothschild tuvo una reunión con los Sabios de Sión en Fráncfort, donde trazaron los primeros planes para el control total de las finanzas y la economía de las estructuras sociales y de los países dominantes, pues, a pesar de tener ya bajo su control el Banco de Inglaterra, que iba ganando poder, la ambición de este linaje iba mucho más lejos. El resultado de esta reunión es conocido como *"Los Protocolos de los Sabios de Sión"*, basados en ideas mucho más antiguas, reescritas por los Rothschild. Estos protocolos permanecieron secretos hasta 1901, cuando salieron a la luz al caer en manos de un profesor ruso que los publicó. Luego, en 1921, se tradujeron al inglés.

Semioficialmente, sin embargo, se presume que los protocolos fueron reeditados en su versión actual, basada en las ideas o filosofías de los Sabios de Sión, durante el Primer

Congreso Sionista reunido en Basilea en 1897, bajo la presidencia del padre del sionismo moderno, Theodore Herzl. Y por otro lado, tenemos una tercera versión, que nos dice que estos protocolos fueron realmente escritos por Alfred Rosenberg en 1920, el principal responsable del aparato propagandístico del partido Nazi, como un apoyo a la campaña anti-judía llevada a cabo por Hitler, para reforzar toda la idea de un enemigo al que había que combatir por todos los medios ya que estaban detrás de todos los males del planeta.

Estos veinticuatro protocolos marcan en buena parte la situación del mundo en nuestra historia reciente. La versión oficial que luego se difundió para tapar el verdadero origen de estos manuscritos los presenta como propaganda antijudía elaborada por quienes pretenden culpar a los judíos de todos los problemas del mundo, como en esta última versión de su origen que os he mencionado.

Aunque no son muy largos, y los podéis encontrar en internet fácilmente, he querido hacer un resumen de los temas e ideas que se discuten en esos veinticuatro protocolos centrados en la metodología a seguir para hacerse con el poder mundial:

- La libertad ficticia en la política, hacer creer que hay opción de "escoger".
- La promoción de tendencias subversivas en la ciencia y el arte.
- La generación de guerras económicas, su creación para el control de la sociedad.
- Las guerras mundiales y conflictos internos, su creación, puesta en marcha, manipulación, etc.
- La creación de revoluciones mundiales. Siempre que hagan falta, y como hagan falta.

- Los derechos ficticios para las masas. Para que no se revelen y vivan en una sensación de falsa libertad.
- El establecimiento del comunismo como otro medio de control.
- El control de la prensa.
- La corrupción de la política de los no judíos y de sus leyes.
- El triunfo judío por medio del voto del pueblo, el sufragio universal y el despotismo de las masas.
- La libertad, igualdad y fraternidad como conceptos judíos.
- La inestabilidad de las Constituciones.
- La charlatanería parlamentaria.
- El entorpecimiento de los jóvenes mediante una educación fundada en teorías y principios falsos.
- La promoción de distracciones para evitar la reflexión entre los gentiles: juegos, diversiones, pasatiempos, prostitución y actividades deportivas.
- La destrucción del cristianismo y las demás religiones, la decadencia de la fe religiosa en general y el culto al dinero.
- El descrédito de los sacerdotes cristianos, disminución de su influencia en el planeta.
- La importancia y acumulación del oro para los propios judíos.
- La importancia del antisemitismo para llegar a controlar todo el poder mundial.
- La educación superficial y la abolición de la libertad de enseñanza y del pensamiento crítico en las masas.
- La manipulación y falsificación de la historia.
- La anarquía entre los obreros, su habituación al alcohol y el encarecimiento de los productos de primera necesidad.
- El control de la economía por vía de la especulación.

- Las crisis económicas, generación de deuda por medio de empréstitos.
- La creación de monopolios.
- La instauración de un gobierno mundial.
- La destrucción de las nacionalidades, las fronteras y la diversidad de monedas.
- La prohibición de las sociedades secretas no judías.
- La propagación de ideas como el darwinismo, el marxismo, el nietzscheísmo, el liberalismo, el socialismo, el comunismo, el anarquismo, etc.
- La propagación del materialismo.
- El establecimiento final del orden y del verdadero bien. Los judíos son los bienhechores de la humanidad, pues así lo ha establecido Dios.

Podéis hacer una pausa, saltar directamente a vuestro ordenador y buscarlos en la red si deseáis leerlos antes de proseguir, pues encontraréis muchos paralelismos con la situación que vivimos actualmente y os ayudará a comprender la estructura del sistema de control.

## Los Illuminati de Baviera

Los Rothschild se habían convertido ya en actores principales del control de las estructuras sociales y económicas del siglo XVIII. Gracias a ellos, de nuevo, nos encontramos con una de las sociedades secretas que, desde su fundación hasta ahora, no han dejado de tener un papel principal en todo lo que se cuece en nuestro planeta.

En paralelo con los primeros vínculos con los Sabios de Sión, en 1770 los Rothschild contactaron con un profesor formado en la Orden de Jesús, Adam Weishaupt, para crear la que se denominó Orden Secreta de los Illuminati de Baviera. Tomaron el nombre de la organización Illuminati original, que fue, recordemos, una escisión o grupo de la Hermandad de la Serpiente. En la segunda mitad del siglo XVIII, la población de la región de Baviera (Alemania) era de mayoría católica y contaba con una aristocracia ampliamente asentada. Por entonces, había en Baviera más de un millar de iglesias (y solo cuarenta mil habitantes), además de diecinueve conventos y monasterios. En este escenario, el poder de los jesuitas era evidente y Baviera era una opositora radical a la Reforma protestante.

Weishaupt empezó a organizar a los Illuminati de Baviera, originariamente llamados la Orden de Perfectibilists, cuando era profesor de Derecho canónico en la Universidad de Ingolstadt. Por entonces estudiaba para hacerse sacerdote jesuita. Sin embargo, cuando, en 1773, el papa Clemente XIV prohibió a los Illuminati, su disgusto lo llevó a romper con la Iglesia católica. Algunos investigadores, como Jim Marrs, sostienen que Weishaupt fue iniciado por un misterioso ocultista llamado Kolmer, quien en un viaje desde Francia hasta Alemania, hacia 1770-1773, se encontró con Alessandro Cagliostro, el futuro revolucionario francés, en la isla de Malta, antigua sede de los Caballeros Templarios. Al parecer, Cagliostro se involucró entonces en actividades masónicas, así como también lo hicieron Giovanni Giacomo Casanova (el eterno amante veneciano) y el enigmático conde de Saint-Germain. Habría sido Kolmer quien, en Alemania, transmitiera conocimientos secretos a Weishaupt, quien empleó muchos años en consolidar los distintos sistemas ocultos en su sociedad secreta, los Illuminati. Marrs argumenta que la adopción del calendario persa por los Illuminati de Baviera evidencia su respeto por los antiguos misterios de Mesopotamia.

El estudio profundo de los secretos de Kolmer y de su conocimiento de los jesuitas fue la base para que Weishaupt estableciera una estructura piramidal para sus iniciados. Situó a personas clave en los nueve grados superiores. Los Illuminati conocían a Weishaupt por su nombre de iniciación, Espartaco, en memoria del esclavo que lideró la famosa revuelta contra los romanos en el año 73. Según Paul H. Koch, autor del libro *Illuminati*, Weishaupt se veía a sí mismo como un nuevo héroe rebelde en contra del orden establecido, tanto en el ámbito material como en el espiritual.

A partir de ahora, cada vez que mencione a los Illuminati me refiero a los Illuminati de Baviera, una organización que funcionaba con círculos concéntricos. Solo el núcleo central conocía los verdaderos planes de la sociedad. Los grados de iniciación eran trece: 1) preparatorio, 2) novicio, 3) minerval, 4) iluminado menor, 5) aprendiz, 6) compañero, 7) maestro, 8) iluminado mayor, 9) iluminado dirigente, 10) sacerdote, 11) regente, 12) mago, 13) rey. Si un miembro llegaba al grado de sacerdote podía asumir los poderes del Estado y debía actuar en consecuencia. Gracias a la formación de Weishaupt, los Illuminati copiaron parcialmente el sistema de los jesuitas para espiar a sus propios miembros y poder así hacer penetrar en los círculos internos solo a aquellos candidatos mejor preparados. El objetivo de la sociedad era el control total de las estructuras sociales, económicas, financieras, educativas, etc., del globo. Para ello, debían pasar por encima de la propia Iglesia y de las monarquías europeas, quienes se convirtieron, obviamente, en los principales enemigos de los Illuminati.

La ideología Illuminati se plasmó por escrito en un documento de Weishaupt llamado *El Nuevo Testamento de Satán*, que salió a la luz en 1875. Allí se refleja la influencia de la orden de los Sabios de Sión, controlada por los

Rothschild, y sus protocolos, pues contienen elementos muy parecidos. En el manuscrito Illuminati de Weishaupt podemos leer:[6]

> *El primer secreto para dirigir a los seres humanos y ser el dueño de la opinión pública es sembrar la discordia, la duda, y crear puntos de vista opuestos durante el tiempo necesario para que los seres humanos, perdidos en esa confusión, no se entiendan más y se persuadan de que es preferible no tener opinión personal cuando se trata de asuntos de Estado.*
>
> *Es necesario atizar las pasiones del pueblo y crear una literatura insípida, obscena y repugnante. El deber de la prensa es mostrar la incapacidad de los no Iluminados en todos los dominios de la vida religiosa y gubernamental.*
>
> *El segundo secreto consiste en exacerbar las cobardías humanas, todos los malos hábitos, las pasiones y los defectos hasta un punto en el que reine total incomprensión entre los seres humanos.*
>
> *Principalmente es preciso combatir a las personalidades fuertes, que son los mayores peligros. Si demuestran un espíritu creativo, producen un impacto más fuerte que millones de personas mantenidas en la ignorancia.*

---

[6] Konny-Verlag, *Coralf: Maitreya, der kommende Weltlehrer (Maitreya, el futuro maestro del mundo)*, 1991, pp.115 y siguientes.

*Las envidias, los enconos, las disputas y las guerras, las privaciones, el hambre y la propagación de epidemias deben agotar a los pueblos a tal punto que los seres humanos no puedan ver otra solución que la de someterse plenamente a la dominación de los Iluminados. Un Estado agotado por luchas interinas o que caiga en poder de enemigos extranjeros después de una guerra civil está condenado en cualquier caso al aniquilamiento y acabará quedando en poder de estos. Es necesario acostumbrar a los pueblos para que tomen la apariencia del dinero como verdad, para que se satisfagan con lo superficial, para que deseen solamente conseguir su propio placer, agotándose en una búsqueda sin fin de novedades, para que, al final de todo, sigan a los Iluminados.*

*Estos consiguen su finalidad recompensando bien a las masas por su obediencia y atención. Una vez que la sociedad esté depravada, los seres humanos perderán toda fe en Dios. Objetivando su trabajo de palabra y por escrito y dando prueba de adaptación, dirigirán al pueblo según su voluntad.*

*Es necesario deshabituar a los seres humanos a pensar por sí mismos. Les daremos una enseñanza basada en lo que es correcto, y ocuparemos sus mentes en contiendas oratorias que no pasen de simulaciones. Los oradores entre los Iluminados repetirán las ideas liberales de los partidos hasta el momento en el que los seres humanos se sientan tan cansados que se aburran de todos los oradores, sea cual sea su partido.*

*Por otro lado, es necesario repetir incesantemente a los ciudadanos la doctrina de Estado de los Iluminados para que permanezcan en su profunda inconsciencia. La masa, ciega, insensible e incapaz de juzgar por sí misma, no tendrá derecho a opinar en los asuntos de Estado, pero deberá ser regida con mano dura, con justicia, pero también con implacable severidad.*

*Para dominar al mundo es necesario emplear vías indirectas, desmontar los pilares sobre los que reposa toda verdadera libertad (la jurisprudencia, las elecciones, la prensa, la libertad personal y, principalmente, la educación y formación del pueblo) y mantener el más estricto secreto sobre toda esta acción. Minando intencionadamente las piedras angulares del poder del Estado, los Iluminados harán de los gobiernos sus acémilas hasta que, de puro cansancio, prescindan de todo su poder.*

*Es preciso exacerbar en Europa las diferencias entre las personas y los pueblos, atizar el encono racial y el desaire por la fe, a fin de que se abra un foso infranqueable, para que ningún Estado cristiano encuentre sostén. Los demás Estados deberán negarse a unirse con ellos contra los Iluminados, por miedo de que esa toma de posición los perjudique. Es necesario sembrar la discordia, las perturbaciones y las enemistades por todas partes de la Tierra, para que los pueblos aprendan a conocer el miedo y no sean capaces de oponer la menor resistencia. Toda institución nacional deberá realizar una tarea importante en la vida del país para que la máquina del Estado quede paralizada cuando una institución se retire.*

*Es necesario escoger a los futuros jefes de Estado entre aquellos que sean serviles e incondicionalmente sumisos a los Iluminados, y también entre aquellos cuyo pasado tenga manchas escondidas. Ellos serán los ejecutores fieles de las instrucciones dadas por los Iluminados. Así será posible para estos últimos transformar las leyes y modificar las Constituciones. Los Iluminados tendrán en sus manos todas las fuerzas armadas si el derecho de ordenar el estado de guerra es conferido al presidente.*

*Por el contrario, los dirigentes no iniciados deberán ser apartados de los asuntos de Estado. Será suficiente hacerlos asumir el ceremonial y la etiqueta en uso en cada país.*

*Mediante el soborno de los altos empleados del Estado, se impulsará a los gobernantes a aceptar préstamos externos que los endeudarán y los convertirán en esclavos de los Iluminados; en consecuencia las deudas de Estado aumentarán sensiblemente, se suscitarán crisis económicas y repentinamente se retirará de circulación todo el dinero disponible. Esto provocará el desmoronamiento de la economía monetaria de los no Iluminados.*

*El poder monetario deberá alcanzar la supremacía en el comercio y en la industria, a fin de que los industriales aumenten su poder político por medio de sus capitales. Aparte de los Iluminados (de quienes dependerán los millonarios, la policía y los soldados), todos los otros no tendrán nada en posesión. La introducción del sufragio universal (derecho de voto a todos los ciudadanos) deberá permitir que solamente prevalezca la mayoría.*

*Acostumbrar a las personas a la idea de autodeterminación aportará la destrucción del sentido de familia y de los valores educativos. Una educación basada en una doctrina falsa y en enseñanzas erróneas embrutecerá a los jóvenes, pervirtiéndolos y volviéndolos depravados. Mediante alianzas con las logias francmasonas ya existentes y la creación, aquí y allá, de nuevas logias, los Illuminati alcanzarán la finalidad deseada.*

*Nadie conoce su existencia ni sus fines, y mucho menos los embrutecidos no Iluminados, que son invitados a formar parte de las logias francmasonas abiertas, donde lo único que se hace es echarles polvo en los ojos. Todos estos medios llevarán a los pueblos a pedir a los Iluminados que tomen las riendas del mundo. El nuevo gobierno mundial debe aparecer como protector y benefactor de todos aquellos que se sometan libremente a él. Si un Estado se rebela, es necesario incitar a sus vecinos a guerrear contra él. Si desean aliarse, es necesario desencadenar una guerra mundial.*

Como vemos, la influencia de los Protocolos de Sión y de la Casa Rothschild definió la agenda Illuminati y toda su ideología posterior. Por poner un ejemplo que ha marcado claramente las últimas décadas de la historia reciente, a Adam Weishaupt se lo conoce como el creador de los planes revolucionarios que, años después, serían usados por la sociedad secreta llamada *la Liga de los Hombres Justos* para promover los principios del comunismo, con Karl Max (que fue contratado por la Liga para escribir su *Manifiesto Comunista*) como su autor intelectual.

En realidad, todo lo que hizo Karl Max fue poner su nombre, recopilar y actualizar lo que Adam Weishaupt había escrito. Por otro lado, la Liga de los Hombres Justos no fue sino una extensión de los Illuminati que se creó cuando estos se vieron obligados a desaparecer de la escena pública tras una investigación llevada a cabo por las autoridades de Baviera en 1786. El comunismo nació de las manos de los Illuminati y fue luego promovido e implementado por una red de organizaciones en los niveles inferiores de nuestra pirámide de control hasta manifestarse como el movimiento social que hemos conocido en nuestra historia reciente.

## La infiltración de los Illuminati de Baviera en la masonería

Como los planes de los Illuminati pasaban por dominar el mundo, no tardaron en crear lazos e infiltrarse en el resto de las organizaciones existentes con planes y alcance similares o complementarios, algo que estaba claramente marcado y establecido en el protocolo número 11 de los Sabios de Sión. La toma de control empezó por las logias inglesas a partir de 1773. Todas las logias que sufrieron esta infiltración tomaron el nombre de Grandes Logias de Oriente. Cuando, en mayo de 1776, se firmó la declaración de independencia de Estados Unidos, Weishaupt dio el paso final e introdujo oficialmente a los Illuminati como organización secreta de control mundial.

Finalmente, puesto que el control era inevitable, el 16 de julio de 1782 se consolidó oficialmente un pacto entre la masonería y los Illuminati en Wilhelmsbad. Así se unieron bajo una sola bandera más de tres millones de miembros de las dos sociedades secretas y se permitió a los judíos el acceso a las logias en las que hasta entonces tenían limitados sus derechos. El éxito del pacto solo fue parcial, ya que ni la Gran Logia de Inglaterra, ni la Gran Oriente de Francia ni los teósofos del sueco Emmanuel Swedenborg lo apoyaron. A pesar de todo, los Rothschild, que controlaban a los

Illuminati de Baviera, consiguieron acceso a casi todas las logias masónicas y a otras derivadas de las mismas. Entre los nombres conocidos de ese pacto, se encuentran los condes de Saint-Germain y de Virieu.

Sin embargo, los poderosos enemigos de los Illuminati, la Iglesia y la nobleza, obligaron a Adam Weishaupt a desaparecer del mapa en 1785, tras una investigación de la sociedad de los Illuminati llevada a cabo por el príncipe de Baviera. Lo que encontraron no fue otra cosa que los planes Illuminati para el "nuevo orden mundial" *(Novus Ordo Seclorum),* publicados luego bajo el título *Original Writings of the Order and Sect of the Illuminati,* con la esperanza de poner en guardia a las monarquías europeas. No obstante, estas no hicieron demasiado caso a las advertencias bávaras.

Con Weishaupt desaparecido, la orden se dio por desarticulada, cosa que estaba muy lejos de la realidad, pues estuvo trabajando en secreto y resurgió luego con nuevos nombres.

## Los planes para el gobierno mundial único

Adam Weishaupt murió en 1830. Su puesto fue ocupado por el italiano Giuseppe Mazzini hasta 1872. Mientras Mazzini lideraba a los Illuminati y a los masones europeos, estableció una estrecha colaboración con Albert Pike, jefe de los masones del sur de Estados Unidos y fundador del Ku Klux Klan. Con el apoyo de Mazzini, Pike se convirtió en el líder total de los Illuminati en Estados Unidos. Empezaron a trabajar codo con codo en la elaboración de planes detallados para llevar a cabo su tan deseado nuevo orden mundial (idea que, recordemos, se había originado con los manifiestos de los Sabios de Sión y habían desarrollado luego los Illuminati de Weishaupt). Esa colaboración era tan estrecha que incluso planeaban estrategias entre ambos para manipular sus propias organizaciones. Por ejemplo, Mazzini le escribió a Pike en una carta fechada el 22 de enero de 1870:

> *Debemos permitir a todas las federaciones masónicas continuar tal y como funcionan ahora, con sus sistemas, autoridades centrales y sus diversas formas de correspondencia entre los diferentes grados del mismo rito, organizados como se encuentran ahora. Pero debemos crear un supergrado que debe permanecer oculto y al cual solo daremos acceso a aquellos masones del más alto nivel que nosotros designaremos.*
>
> *Respecto a nuestros hermanos en la masonería, estos elegidos deben jurar el más estricto secreto. A través de este rito supremo, gobernaremos toda la masonería a nivel global y la convertiremos en un solo centro internacional, el más poderoso de todos, cuya dirección será desconocida.*[7]

Los miembros de este nuevo grado estaban destinados a convertirse en la élite de la élite de los masones y de los Illuminati, el círculo interno del círculo de poder de toda la organización. El 15 de agosto de 1871 Albert Pike presentó a Mazzini su plan para implementar el gobierno único mundial, que incluía, ¡oh, sorpresa!, tres guerras mundiales:

- La primera guerra mundial tenía como objetivo poner a la Rusia de los zares bajo control Illuminati, y luego usar el potencial ruso para promover los intereses Illuminati a nivel global.

---

[7] Lady Queenborough, *Occult Theocrasy*, y Gary Allen, *None Dare Call It Conspiracy*.

- La segunda guerra mundial debía ser generada para manipular las diferencias entre nacionalistas alemanes y judíos sionistas. Esta guerra debía tener como resultado la expansión de la influencia de Rusia en el mundo y la creación de un Estado judío, Israel, en Palestina.

- La tercera guerra mundial debía ser orquestada explotando las diferencias entre los judíos sionistas y los árabes, y debía tener un alcance global.

Como comentario al segundo punto, hemos de tener en cuenta que el movimiento sionista nació "oficialmente" en 1881, cuando Theodor Herzl, judío khazar, lo fundó en la ciudad de Odesa, en Rusia, para promover un Estado judío en Palestina. Como vemos, los planes del movimiento sionista ya estaban en la mente de los Illuminati y masones europeos y norteamericanos mucho antes, y la casa de los Rothschild ya era desde hacía años la principal financiadora y soporte de este proyecto.

## La Nobleza Negra (The Black Nobility)

Dejemos a un lado a los Illuminati y a los masones para volver a Europa y retroceder en el tiempo, en busca del origen de otro grupo que es, hoy en día, parte fundamental del crucigrama de las sociedades que controlan nuestro planeta, la llamada Nobleza Negra. Toda la investigación y la documentación que conocemos sobre la Nobleza Negra se las debemos principalmente al doctor John Coleman, quien describe esta sociedad, en sus inicios, como un grupo de familias de Venecia y Génova que en el siglo XII controlaban todo el comercio de la zona, gracias al poder obtenido en la

Primera Cruzada, de 1063 a 1123, lo que los llevó a dominar Venecia en 1171.

Estas familias obtuvieron su poder a través de todo tipo de juegos sucios, guerras, asesinatos, conspiraciones, chantajes, etc., métodos que, lo creamos a no, siguen siendo habituales entre nuestros dirigentes de hoy. La importancia de la Nobleza Negra estriba en que las familias que la componen son hoy en día parte importante de las casas reales en el poder en todo el mundo, además de poseer el control directo de una serie de empresas y organizaciones creadas por ellas mismas para mantener este poder. Según la investigación de John Coleman, las familias más importantes de esta Nobleza Negra son:[8]

- La Casa de Guelph (Inglaterra).
- La Casa de Wettin (Bélgica).
- La Casa de Bernadotte (Suecia).
- La Casa de Liechtenstein (Liechtenstein).
- La Casa de Oldenburg (Dinamarca).
- La Casa de Hohenzollern (Alemania).
- La Casa de Hanover (Alemania).
- La Casa de Borbón (Francia).
- La Casa de Orange (Holanda).
- La Casa de Grimaldi (Mónaco).
- La Casa de Wittelsbach (Alemania).
- La Casa de Braganza (Portugal).
- La Casa de Nassau (Luxemburgo).
- La Casa de Habsburg (Austria).
- La Casa de Savoy (Italia).
- La Casa de Karadjordjevic (ex Yugoslavia).
- La Casa de Württemberg (Alemania).

---

[8] John Coleman, *Black Nobility Unmasked Worldwide*, 1985.

- La Casa de Zogu (Albania).
- Todas aquellas familias que hoy confluyen en la Casa de Windsor (Inglaterra).

Casi todas estas familias descienden originariamente de la Casa de Guelph, una de las familias venecianas que dieron origen a los Windsor. Por consiguiente, la reina Isabel II de Inglaterra desciende de esta rama. Vale la pena mencionar el caso especial de la City de Londres como representativo del poder de estas familias. Todos sabemos que la reina es la cabeza de la familia real británica y, por ende, la cabeza del Imperio británico y sus antiguas colonias, con Londres como capital de Inglaterra, gobernada por un primer ministro, como muchos otros países. Sabemos también que el Vaticano se encuentra en Roma, pero es un Estado completamente independiente y soberano dentro de la ciudad. Lo mismo ocurre con la City, un área en el corazón de Londres que no tiene más de 2,7 kilómetros cuadrados. Es un Estado soberano no sujeto a las leyes británicas que, con unos cuatro mil seiscientos habitantes, genera aproximadamente un millón de puestos de trabajo.

Al gobierno de la City se lo llama The Crown ("la Corona"). Está compuesto por trece miembros y dirigido por el rey de la City, el "lord mayor". En este escaso espacio físico, están las instituciones más poderosas del mundo, como el Banco de Inglaterra, fundado y controlado por los Rothschild, el banco Lloyds, el London Stock Exchange, oficinas de las mayores empresas del planeta, etc. Pero la City no pertenece a Inglaterra, y no está sujeta tampoco a su monarca, Isabel II, ni a su Parlamento y gobierno, y tanto el primer ministro de Inglaterra como la reina Isabel II son subordinados del lord mayor. Todo lo que se mueve en el país, en realidad, se decide en la City.

Además, si la reina decide visitar la City, según la tradición, se encuentra con el lord mayor en el Temple Bar, la entrada simbólica a la City en Londres. Entonces se inclina y pide permiso para entrar en este Estado soberano. Para mostrar su permiso, el lord mayor le entrega la espada del Estado, y ostentosamente camina siempre dos pasos por delante de ella. Hoy en día, los Windsor tienen miembros tanto entre los que gobiernan la City como entre los que gobiernan Inglaterra y el Imperio británico (la Commonwealth).

## El Comité de los Trescientos

Pero, "detalles" aparte, la importancia de la Nobleza Negra se encuentra en sus ramificaciones actuales, pues son los creadores y fundadores de la organización conocida como el Comité de los Trescientos, del cual descienden todos los grandes grupos de manipulación de hoy, como el Club de Roma, el CFR, el RIIA, el Club Bilderberg, Naciones Unidas, la Mesa Redonda, etc.

El Comité de los Trescientos es responsable de mucho de lo que se mueve en el mundo en estas últimas décadas. Es la organización madre de gran cantidad de las que se encuentran en un nivel inferior, que aparecen en las portadas de los periódicos regularmente (Bilderberg, Club de Roma, Comisión Trilateral, Instituto Tavistock, etc.).

Este Comité fue fundado por la Nobleza Negra como grupo de coordinación de las actividades de la Compañía Inglesa de las Indias Orientales (BEIC, en inglés) durante los años en los que el comercio del opio con China floreció y proporcionó beneficios impresionantes a las familias que lo controlaban. Dentro del BEIC, el Comité de los Trescientos era una fuerza de apoyo en las transacciones y operaciones a nivel mundial, y hoy en día es una de las principales organizaciones que trabajan activamente para la implantación del gobierno mundial único. Forma parte de la organización madre, la Nobleza Negra, y está dirigida, entre otras facciones, por la corona británica. Para encontrar información sobre sus componentes, nos remitimos al trabajo de investigación del doctor John Coleman. En su libro *Conspirator's Hierarchy: The Committee of 300,* publicó una lista de doscientas noventa organizaciones, ciento veinticinco bancos y trescientas cuarenta y una personas con responsabilidades en dichas instituciones que forman parte del Comité. En esta lista figuran miembros de la realeza, numerosos políticos muy conocidos que hoy están en posiciones de máxima responsabilidad en la Unión Europea y en Estados Unidos, banqueros y miembros de la élite económica, dirigentes ejecutivos de alto rango y magnates de las empresas más poderosas del globo. Cuando lees la lista, bueno, no te sorprende que estén donde están y hagan lo que hacen, pues las piezas encajan y comprendes que no toman sus decisiones por el bien de aquellos para los que supuestamente trabajan (los ciudadanos), sino de aquellos a los que en realidad sirven (las familias de la Nobleza Negra).

## Skulls and Bones

Damos ahora un nuevo salto al otro lado del océano para encontrar la siguiente organización secreta que completa un poco más el rompecabezas del nivel 5 en la pirámide de control. Se trata de Skulls and Bones ("Cráneos y Huesos"), aunque sus miembros la conocen simplemente como "la Orden" o "el Capítulo 322" de una sociedad secreta alemana (presumiblemente, los Illuminati de Baviera).

La Orden de Cráneos y Huesos tiene su sede en la Universidad de Yale. Originalmente se la conoció como la Hermandad de la Muerte. Es una de las más antiguas sociedades secretas de estudiantes en Estados Unidos y fue fundada en 1832 por William Russel y Alphonso Taft. Se cree que es una rama de los Illuminati de Baviera en el continente americano, ya que Russel la importó de sus años de estudiante en Alemania, a partir del contacto con miembros de esta sociedad. Según Judy Schiff, archivera jefa de la Biblioteca de la Universidad de Yale, los nombres de los miembros no se mantuvieron en secreto hasta la década de 1970, pero los rituales principales han sido siempre un misterio. Todos los candidatos a miembros son varones de familias con un importante poder económico. Los dos Bush presidentes del gobierno fueron miembros de la sociedad durante sus estudios en Yale. Otros integrantes han adquirido fama y fortuna en puestos de alta responsabilidad en diferentes áreas del gobierno de Estados Unidos. Este es uno de los mayores logros de Skulls and Bones, infiltrarse en prácticamente todos los estratos sociales, económicos y políticos de Estados Unidos, en los que tienen un poder impresionante.

No se puede hacer nada para ser miembro. Los integrantes son escogidos en su primer año en la universidad y solo pasan un año, el último antes de su graduación, como miembros de Skulls and Bones, ya que es una organización que busca influir en la sociedad estadounidense a través de los graduados de Yale que pasan a ocupar puestos importantes en áreas clave. Según otro investigador,

Anthony Sutton, las familias que controlan Skulls and Bones y que dirigen la organización actualmente son las siguientes:[9]

- Los Rockefeller.
- Los Harriman.
- Los Weyerhauser.
- Los Sloane.
- Los Pillsbury.
- Los Davison.
- Los Payne.
- Los Gilman.
- Los Wadsworth.
- Los Taft.
- Los Stimson.
- Los Perkins.
- Los Whitney.
- Los Phelbs.
- Los Bundy.
- Los Lord.

A la mayoría de los que vivimos al otro lado del Atlántico, estos nombres no nos dicen demasiado. Sin embargo, tienen una fuerte influencia en nuestras vidas, pues controlan gran parte de las empresas multinacionales, por lo que sus decisiones tienen un gran impacto en nuestras estructuras físicas, sociales y económicas.

---

[9] Anthony C. Sutton, *Skulls& Bones* y *The Two Faces of George Bush*.

## La sociedad de la Mesa Redonda

De nuevo en este lado del Atlántico, en el Viejo Continente, avanzamos en el tiempo un poco para encontrar a la madre de otras organizaciones que luego tendrán una estrecha relación con los Skulls and Bones y el resto de los grupos que hemos visto. Se trata de la Orden de la Mesa Redonda.

La Mesa Redonda es una sociedad fundada en Inglaterra alrededor de 1890 por un magnate del oro y los diamantes llamado Cecil Rhodes. Su objetivo era establecer un gobierno mundial único dirigido por la súper élite bancaria que controlaría todo el planeta bajo el disfraz de una política o sistema socialista. El mismo Rhodes definió sus propósitos: "La extensión del Imperio británico por todo el planeta, la fundación de un poder tan impresionante que sea capaz de hacer las guerras imposibles, de forma que se puedan promover los intereses de la humanidad". Para ello se inspiró en los modelos de la Compañía de Jesús (los jesuitas) y la masonería. No olvidemos que este tipo de organizaciones tuvieron todas como referencia a los Illuminati de Baviera, organizados por Adam Weishaupt, diseñador de todas las teorías de conquista e implantación de un nuevo orden mundial que luego tomaron diferentes caminos y fueron asumidas por distintos grupos con ideas parecidas. En este caso, Cecil Rhodes montó su Orden de los Caballeros de la Mesa Redonda como una organización con círculos concéntricos de poder. El propio Rhodes invirtió su dinero y sus recursos para crear el núcleo central en marzo de 1891, aunque es cierto que las aventuras empresariales de Rhodes habían sido financiadas por la Casa de Rothschild, ¡oh, sorpresa! De hecho, en su testamento, Rhodes le dejó todo lo que poseía a lord Rothschild, como "agradecimiento" por el apoyo prestado.

Los miembros de este grupo tuvieron una gran influencia especialmente en la primera guerra mundial. Trabajaron en la sombra para implicar a Inglaterra en ella, por intereses económicos principalmente y por los anhelos de expansión del Imperio británico de Rhodes. Una vez finalizada la guerra, en 1914, empezaron a expandir su poder hacia otras áreas. La implicación de la Mesa Redonda en la primera guerra mundial nació a partir del descontento de la élite europea por la creación del Imperio alemán bajo Bismarck, que estaba desequilibrando el balance de poder existente hasta el momento y ponía en peligro la supremacía europea de Inglaterra, que ya zozobraba desde 1871. Alemania crecía, adquiría colonias y reforzaba su maquinaria militar. Esto era una amenaza severa para los Illuminati de Baviera, los Rothschild y sus planes de dominación global. Para contrarrestar esta situación, los bancos internacionales, que hasta la fecha habían estado excluidos casi por completo de la economía alemana, empezaron a hacer de las suyas. Promovieron que los gobiernos que controlaban firmaran tratados de asistencia en caso de guerra contra Alemania. Esta tarea básicamente recayó en el Comité de los Trescientos, la organización creada por la Nobleza Negra, con la que Rhodes también tenía contactos.

Rhodes y su grupo de la Mesa Redonda crearon el Royal Institute for International Affairs, o RIIA, en Londres, para estudiar posibles formas de detonar la guerra contra Alemania y, especialmente, técnicas para condicionar al público para que la apoyara. La población inglesa sufrió una intensa propaganda y manipulación a través de los medios controlados por el Comité de los Trescientos, hasta que convencieron a toda la masa de la necesidad de enviar tropas para frenar el poder alemán.

Desde lo más alto de la pirámide de control de esta maraña de asociaciones y sociedades, los Illuminati de

Baviera querían generar una devastación tal que ninguna nación quedara libre de las consecuencias, ya que así podrían imponer con mucha más facilidad sus planes de implantación de un gobierno mundial bajo control Illuminati, los mismos que cuarenta años antes Albert Pike había dejado escritos.

El tiempo que se tarde en implementar esta agenda no tiene importancia, o tiene una importancia relativa. Son los planes de la sociedad los que cuentan, no los de sus miembros. Si una generación determinada no puede avanzar hacia el control total deseado, estos planes no se detienen. Aunque los miembros originales que los diseñaron hayan fallecido, sus sustitutos, los que toman las riendas, siguen con el mismo plan. No son objetivos sujetos a fechas, sino a eventos. Para que algo pase, tienen que cumplirse las condiciones necesarias. Si se tarda más o menos depende de las técnicas, el poder y las herramientas para manipular y poner en marcha ciertos eventos que detonarán otros. Hay planes que se pueden retrasar años o décadas, dependiendo de la resistencia encontrada, resistencia que proviene de la masa de la población principalmente, pues, si no se nos puede condicionar para actuar de una forma u otra, no se pueden implementar ciertas acciones. Eso lo estamos viendo actualmente, por ejemplo, con la crisis económica en Europa o con la crisis geopolítica en Oriente Medio, con Irán y Siria como objetivos principales.

Una vez que estalló la primera guerra mundial, tras la muerte de Franz Ferdinand, el archiduque sucesor del Imperio austro-húngaro, la Mesa Redonda, el Comité de los Trescientos, los Rothschild y todas las ramificaciones Illuminati existentes empezaron a trabajar para implicar también a Estados Unidos en la contienda. Los Rothschild enviaron allí a uno de sus agentes, el coronel Edward House, que se convirtió en la mano derecha de Woodrow Wilson y en personaje clave de su gobierno. Desde entonces, Wilson estuvo bajo la influencia de los Rothschild por completo. La opinión pública norteamericana fue manipulada con las mismas técnicas creadas por el RIIA, y en 1916 Estados Unidos entró en la primera guerra mundial.

Cuando la contienda hubo finalizado, los planes largamente diseñados para un primer intento de gobierno único se pusieron sobre la mesa bajo el nombre de la Liga de las Naciones, que fracasó estrepitosamente por falta de implicación en su puesta en marcha por parte de varios países, que no apoyaron los catorce puntos presentados por Wilson para su creación. Si la Liga hubiera funcionado, probablemente se habría evitado la siguiente guerra mundial, que fue un nuevo intento de conseguir el control mundial. Entonces la sociedad de la Mesa Redonda de Cecil Rhodes vio con claridad que el control del sistema mundial debía expandirse mucho más si se quería evitar otro fracaso como el de la Liga de las Naciones, a través de la cual no habían podido influenciar suficientemente para que los gobiernos aceptasen sus planes. Así que, una vez que el RIIA estuvo completamente establecido en Londres, se decidió crear otra organización similar, y paralela, en Estados Unidos.

Dicho y hecho: en 1921 nació el Council On Foreign Relations (CFR), inmediatamente conectado a la rama Illuminati de los Skulls and Bones (cuyos miembros se convirtieron en la élite y el círculo interno de poder del CFR), al Comité de los Trescientos de la Nobleza Negra y al control de los Rothschild en Estados Unidos.

El control sionista sobre la Mesa Redonda de Rhodes, y por extensión sobre el RIIA, el CFR y los Skulls and Bones, proviene de la presencia de los Rothschild en todas esas ramas y organizaciones, especialmente por sus lazos y conexiones con familias como los Schiff, los Warburg, los Guggenheim, los Rockefeller o los Carnegie, que en muchos casos actúan como agentes de los Rothschild, ahora ya con conexiones por todo el globo, en todas las instituciones, con alianzas múltiples y con un poder económico inigualable para hacer avanzar sus objetivos.

## La preparación de la segunda guerra mundial

A medida que avanzamos, se vuelve casi imposible asignar eventos a una sola sociedad secreta de la pirámide de control. Desde finales del siglo XVIII hasta hoy, todos los acontecimientos importantes de nuestra historia están marcados por una compleja telaraña de organizaciones. Tenemos que saltar de un actor a otro para entender cómo actúan a nivel planetario. Ya no podemos decir que un evento fue creado por tal persona o tal organización, porque, detrás de cada uno de ellos, aparecen decenas de personajes de diversas sociedades.

Tras el fracaso de la Liga de las Naciones, los poderes en la sombra empezaron a planificar un nuevo asalto al gobierno único, lo que desembocaría en la segunda guerra mundial. Alemania había quedado completamente destruida, y billones de dólares empezaron a llegar procedentes de bancos internacionales para refundar el país. Con ese dinero se iba a financiar la maquinaria militar que iba a usar Hitler para llevar a Alemania a otra nueva guerra. Una compleja serie de eventos gestó la llegada al poder de Hitler, su financiación y la puesta en marcha de los procesos que desencadenarían la confrontación.

En paralelo, mientras se preparaba la segunda guerra mundial, la Mesa Redonda fue tremendamente importante, pues usó su influencia para conseguir que a Hitler no se le pararan los pies en Austria, Rhineland o Sudetenland, en Alemania, de forma que se pudieran precipitar los planes de dominación, con el posterior desenlace y los millones de víctimas de la contienda. Todos los grupos bajo control Illuminati sabían que una segunda guerra mundial incrementaría enormemente las oportunidades para establecer un único orden mundial, un gobierno y liderazgo unificados, como soñaba Cecil Rhodes, como había planificado Albert Pike y como esperaba conseguir algún día Adam Weishaupt. La financiación continua de Hitler a través de bancos holandeses controlados por los Warburg (dependientes de los Rothschild) y de bancos de Fráncfort, Nueva York y Londres hizo el resto. Así, mientras la Mesa Redonda en Europa trabajaba a través del RIIA, el CFR en Estados Unidos hacía lo mismo, infiltrándose en el Ministerio de Defensa norteamericano para asegurarse de que, tras la segunda guerra mundial, no se repetirían los problemas acaecidos después de la Gran Guerra, cuando el intento de imponer un gobierno mundial bajo el sello de la Liga de las Naciones había fallado estrepitosamente.

## La Orden Hermética del Alba Dorada

Puede parecer curioso, pero el noventa por ciento del apoyo financiero de Hitler durante el Tercer Reich provino de fuentes judías. Evidentemente, no de los judíos que fueron sus víctimas, sino de los judíos que controlaban los bancos que financiaban tanto a los nazis como a los rusos o a los ingleses. Para entender cómo el Tercer Reich llegó a tener tanto poder, tenemos que volver a echar mano de nuestra máquina del tiempo y retroceder unas décadas para encontrar otra organización secreta de nuestro nivel 3.

La Orden Hermética del Alba Dorada (originalmente en inglés Hermetic Order of the Golden Dawn) era una fraternidad de magia ceremonial y ocultismo, fundada en Londres en 1888 por el doctor William Robert Woodman, William Wynn Westcott y Samuel MacGregor Mathers. Los tres fueron masones y rosacruces en Inglaterra. La Golden Dawn se convirtió en la parte de la masonería que lidiaba con todo el conocimiento oculto y esotérico, como la mística cristiana, la cábala, el hermetismo, la religión del antiguo Egipto, la francmasonería mística, la alquimia, la teosofía, la magia, los escritos renacentistas del mismo estilo, etc.

Gracias a ello, la Golden Dawn se convirtió en otro círculo interno de poder de la masonería en Inglaterra (que recordemos que ya era una mezcla de masones e Illuminati de Baviera, los primeros de los cuales eran, a su vez, una mezcla de masones y templarios, con no pocas influencias de los rosacruces). Entre los miembros más famosos de la Golden Dawn, destacaron personajes públicos como Bram Stoker (autor de *Drácula*), Aleister Crowley (el ocultista más conocido en el mundo de la magia negra), Rudolf Steiner (místico, filósofo, pensador y gran maestro de la rama Illuminati conocida como la Ordo Templi Orientis) y también uno de los alumnos más destacados de Gurdjieff: Karl Haushofer. Todo el conocimiento que esta sociedad poseía fue luego traspasado y usado total o parcialmente por otra nueva organización a la que Hitler perteneció: la Thule Society.

## La Sociedad Thule

La Sociedad Thule fue una organización alemana creada en 1918 que dio pie al DAP (Partido de los Trabajadores Alemanes) y a las famosas SS nazis. Conocían todos los tejemanejes del sistema bancario judío, de los Rothschild y de sus aliados, especialmente de las ramificaciones de sus organizaciones secretas, las logias y el entramado que tenían montado. Asumieron la misión de combatirlos y luchar contra ellos. Esta idea puede parecer loable; el problema es que usaron los mismos medios que sus adversarios. Con este objetivo, un círculo de alemanes influyentes se concentraron alrededor del barón Rudolf von Sebottendorf para formar la Sociedad Thule. Se apoyaban en el conocimiento de la magia, la astrología, el esoterismo, el ocultismo, todo el saber templario obtenido por algunos de sus miembros que eran parte de la organización, así como el conocimiento de la orden Golden Dawn, que incluía prácticas como el tantra, el yoga o la meditación. No les faltaban herramientas ni poder.

Entre los primeros miembros de la Sociedad Thule, se encontraban los siguientes personajes, más o menos conocidos por los libros de historia:

- Barón Rudolf von Sebottendorf, gran maestre de la Orden.
- Guido von List, maestre.
- Jörg Lanz von Liebenfels, maestre.
- Adolf Hitler, *Führer*, canciller alemán.
- Rudolf Hess, segundo del *Führer*, miembro de las SS.
- Herman Goering, mariscal del Reich y miembro de las SS.
- Heinrich Himmler, líder de las SS.
- Alfred Rosenberg, ministro del Reich y miembro de las SS.
- Hans Franck, NS-Reichsleiter y gobernador general de Polonia.
- Julius Streicher, SA-Obergruppenführer.
- Karl Haushofer, mayor general.
- Gottfried Feder, secretario de Estado.
- Dietrich Eckart, editor jefe del *Völkischer Beobachter*.

- Bernhard Stempfle, confidente de Hitler.
- Theo Morell, médico personal de Hitler.
- Franz Gurtner, director de la Policía de Múnich.
- Rudolf Steiner, fundador del pensamiento antroposófico.
- Trebisch-Lincoln, ocultista y gran conocedor del Himalaya.

Diferencias de criterio y puntos de vista sobre los objetivos de la organización hicieron que, poco después de su fundación, la Thule se dividiera en dos: la parte esotérica (*esoteros*: "interno"), dirigida por Rudolf Steiner, y la parte exotérica (*exoteros*: "externo") dirigida por Adolf Hitler.

La Thule esotérica se convirtió más bien en una organización pacífica, dedicada al estudio de lo oculto, mientras que la parte "exotérica" fue la que luego se radicalizó más, incluso llegó a prohibir a la otra rama cuando Hitler tomó el poder completo del DAP. El hecho de que Hitler conociera bien todos los Protocolos de Sión y el entramado Illuminati no hizo más que reforzar su lucha contra el poder judío. Cómo fue usado, manipulado y dirigido por aquellos a los que realmente quería combatir es material para otro libro. Los hay a decenas, con todo lujo de detalles sobre la parte "mística" y ocultista de Adolf Hitler, así como sobre su contacto con otros grupos off-planet, con los que parece que concretó de forma consciente todo tipo de pactos y acuerdos para conseguir sus objetivos.

## Tras la segunda guerra mundial, la fundación de Israel

Aunque, en términos humanos, la guerra fue una tragedia, para los grupos Illuminati y sus ramificaciones fue un completo éxito, pues consiguieron allanar el camino para la instalación del *Novus Ordo Secolorum* de Weishaupt, el nuevo orden mundial. Debido al alto coste militar, prácticamente todos los países involucrados quedaron en manos de los bancos internacionales que los habían financiado, con deudas astronómicas que, solo en Estados Unidos, llegaron a los 220.000 millones de dólares. Todos los gobiernos estaban y están desde entonces en manos de los bancos, controlados principalmente por los Rothschild y sus agentes. Como veremos luego, estos mismos, a través de instituciones como el Council of Foreign Relations, pusieron las reglas del nuevo sistema que emergió tras la guerra.

Uno de esos objetivos, perseguido por los judíos khazares y su movimiento sionista prácticamente desde 1871, era la creación de un Estado propio en Palestina. Justo después de finalizar la guerra, en el congreso sionista de 1946 que tuvo lugar en Ginebra, se aprobó el uso del terrorismo y cualquier otro medio necesario para la creación del Estado de Israel. A partir de aquí, diversas organizaciones terroristas empezaron a florecer en Palestina contra el dominio británico, que regentaba la colonia. Se generó así un baño de sangre entre árabes e ingleses. Tanto fue así que el asunto fue puesto a consideración de los miembros de Naciones Unidas, que en 1947 "decidieron" (estaba planificado de antemano) dividir la región en dos Estados, uno árabe y uno judío. Esta división causó aún más atentados y ataques, por lo que Naciones Unidas se echó atrás. Pero no así los sionistas, que dividieron Palestina bajo su propia autoridad. Los ataques contra los árabes se sucedieron y muchos huyeron a países vecinos, excepto unos cuantos que fundaron, bajo el liderazgo de Yasir Arafat, el Movimiento para la Liberación de Palestina. No sirvió de mucho, porque, en 1948, Israel declaró su Independencia. Todos sabemos cuál es la situación en Oriente Medio desde entonces. Además, para completar la manipulación de las masas a nivel global, y para que estos tejemanejes y todo lo que había sucedido realmente durante la segunda guerra mundial no se supiera, la Fundación Rockefeller se gastó en 1946 139.000 dólares para crear la versión oficial de la historia de la segunda guerra mundial. Desde entonces, todo lo que estudiamos en las clases de historia es esa historia semi-reinventada, escrita por los vencedores, que no son otros que los diseñadores de los planes para el control global.

Las pruebas presentes en los archivos dejan al descubierto la manera en que se diseñó y coordinó clandestinamente el proyecto de Estados Unidos en su estado actual. Hay pruebas que demuestran de forma definitiva que la historia ha sido falsificada. Las consecuencias de estas mentiras son infinitas, en todo el mundo.

Existen decenas de eventos en nuestra historia reciente que han sido manipulados para que creamos una cosa cuando en realidad ocurrió otra. Como muestra un magnífico reportaje llamado “Evidence of Revision” (“Pruebas de falsificación”), recientemente publicado por la editorial Red Pill, cuyo material periodístico original revela que los mayores acontecimientos en la historia estadounidense (y mundial) han sido intencionalmente distorsionados para mentir a la opinión pública. Incluye una serie de vídeos y entrevistas inéditas que ofrecen una exploración profunda de sucesos como los asesinatos de John F. Kennedy, su hermano Robert Kennedy y Martin Luther King, así como descripciones de lo que realmente ocurrió en la masacre de Jonestown, en la Guayana Británica, y todas las mentiras promovidas en relación con cada uno de esos eventos. En fin, hay material para rato.

Si miramos hacia atrás, vemos que todo lo anterior fue perfectamente orquestado según los planes concebidos por Albert Pike décadas antes, especialmente en el tercer punto desarrollado en sus escritos, relativo a la necesidad de enfrentar a árabes y judíos como paso previo indispensable para acceder al gobierno mundial único.

## El Consejo de Relaciones Exteriores (Council of Foreign Relations)

El ya mencionado CFR o Council of Foreign Relations merece una revisión más a fondo, porque, desde su fundación en 1919, es el organismo más influyente en la política de Estados Unidos. Sus cerca de mil quinientos miembros forman parte de la élite de la política, las finanzas, los negocios, los medios de comunicación y todas las grandes áreas de la sociedad.

Aun así, pocas personas son capaces de reconocer los nombres de aquellos que marcan con tanta influencia lo que Estados Unidos hace o deja de hacer en cualquier ámbito, a pesar de que el CFR lleva operativo más de noventa años. Prácticamente todos los miembros de los diferentes gobiernos estadounidenses han tenido relación con el CFR, lo han integrado o se los ha contratado o consultado con regularidad, siempre con el objetivo de dirigir la política exterior norteamericana. Como hemos visto, el CFR es la extensión estadounidense de la Mesa Redonda, fundada por Cecil Rhodes, cuya contrapartida inglesa es el Royal Institute of International Affairs (RIIA), y cuyo único objetivo, declarado públicamente, es el establecimiento de un único gobierno mundial. Desde su fundación, también los miembros de Skulls and Bones han formado parte de los círculos internos de control de este grupo.

Muchos miembros del CFR entrevistados por diferentes autores (la lista de los miembros es pública) protestan fervientemente cuando se los acusa de albergar cualquier tipo de plan para gobernar y controlar las estructuras sociales y económicas del planeta. Y tienen razón, ya que la mayoría de esos mil quinientos miembros no están metidos en ningún tipo de plan Illuminati, no conocen nada de ninguna conspiración y no están ni de lejos relacionados con ellas. Sirven muy bien para generar esa fachada externa que da al grupo la legitimidad política de *lobby* o *think tank*. Pero el CFR es responsable de las mayores manipulaciones de la historia, especialmente en Estados Unidos, ya que los grupos centrales de esta organización sí están conectados y trabajan bajo el mandato de la sociedad que los creó (la Mesa Redonda) y de aquellos que ahora controlan sus círculos internos (los Skulls and Bones), como hicieron, por ejemplo, con ocasión del diseño y la puesta en marcha de Naciones Unidas, a través de varios comités y subcomités que, tras la segunda guerra mundial, se pusieron manos a la obra para consolidar el poder de la organización a nivel internacional. Al menos cuarenta y siete miembros del CFR estuvieron en la delegación estadounidense que creó Naciones Unidas en 1945.

## Infiltración y control del Vaticano y la Iglesia católica

A finales de la segunda guerra mundial, la mayoría de las monarquías habían sido depuestas y una parte de los planes de los Illuminati de Baviera se había completado. Pero, aunque uno de los principales enemigos de los Illuminati en el siglo XVIII, la monarquía, estaba bastante desmontada, el otro, la Iglesia, seguía teniendo mucho poder. Este poder, dentro de la Iglesia católica, en el Vaticano, lo tenía sobre todo la Compañía de Jesús, los jesuitas, que siempre han actuado como el servicio secreto y el ejército del Papa. Como ya hemos comentado, siguen jurando en su segundo grado de iniciación la muerte de todos aquellos que profesen la fe protestante o sean masones (lo cual, por extensión, incluye a los Illuminati, rosacruces, templarios, etc.) y cuyo juramento dice así:

> *«Yo. Ahora frente al Todopoderoso Dios, la bendita virgen María, el bendito san Juan bautista, los santos apóstoles, mi padre fantasmal, el general superior de la Sociedad de Jesús fundada por san Ignacio de Loyola, en el pontificado de Pablo III y continuando hasta el presente, por el vientre de la virgen, la matriz de Dios, y la vara de Jesucristo, declaro y juro que Su Santidad el Papa, es el Vice- regente de Cristo y es el verdadero y única cabeza de la iglesia Católica o Universal por toda la tierra; y por virtud de las llaves de atar y soltar dadas por su santidad mi Salvador, Jesucristo, él (el papa) tiene poder para destronar herejes, ya sean reyes, príncipes, Estados, Mancomunidades, y Gobiernos y ellos sean ciertamente destruidos.*
>
> *Por lo tanto al extremo de mi poder yo defenderé esta doctrina del derecho y costumbre de 'Su Santidad' contra todos los usurpadores o autoridades Protestantes cualesquiera, especialmente la iglesia Luterana de Alemania, Holanda, Dinamarca, Suecia, y Noruega y la ahora pretendida autoridad de las iglesias de Inglaterra y Escocia, y las ramas de la misma ahora establecidas en Irlanda y en el Continente de América y en cualquier otro sitio, y todos sus adherentes en consideración que ellos sean usurpados y herejes, oponiéndose a la 'Madre Iglesia de Roma.'*

*"Yo ahora denuncio y reniego cualquier alianza dada a cualquier rey hereje, príncipe o Estado, llamado Protestante o Liberales, u obediencia a cualquier otra ley, magistrados y oficiales."*

*"Yo además declaro que la doctrina de las iglesias de Inglaterra y Escocia, de los Calvinistas, Hugonotes, y otros del nombre de Protestantes o Masones a ser malditos, y ellos mismos a ser malditos quienes no renuncien a las mismas."*

*"Yo además declaro que yo ayudaré a asistir, y aconsejar a todos o a cualquiera de los agentes de 'Su Santidad' en cualquier lugar donde yo esté, en Suiza, Alemania, Holanda, Irlanda o América, o en cualquier otro reino o territorio yo vendré para y haré lo máximo para extirpar a las doctrinas herejes Protestantes o Masonas y destruir todos sus falsos poderes, legales o al contrario."*

*"Yo además prometo y declaro que, no obstante, yo estoy permitido asumir cualquier religión hereje por la propagación de los intereses de la 'Madre Iglesia' de mantener secreto y privado todos los consejos de tiempo en tiempo de sus agentes, como ellos me los confíen y a no divulgar, directamente o indirectamente, por palabra, escritura, o circunstancias cualesquiera sin ejecutar todo lo que debe ser propuesto, dado a cargo o descubierto a mí por el por ti 'Padre Espiritual', o cualquier otra orden secreta."*

*"Yo además prometo y declaro que yo no tendré opinión o voluntad mía propia o ninguna reserva mental fuere lo que fuere, aun como un cuerpo y cadáver (perinde ad cadáver), sino sin vacilar*

*obedeceré todas y cada orden que yo pueda recibir de mis superiores en la milicia del Papa y de Jesucristo.*

*"Que yo iré a cualquier parte del mundo dondequiera que sea enviado, a las regiones congeladas del norte, selvas de la India, a los centros de civilización en Europa, o a las persecuciones salvajes de los bárbaros salvajes de América sin murmuraciones ni lamentaciones, y seré sumiso en todas las cosas que fueran comunicadas a mí."*

*"Yo además prometo y declaro que yo, cuando la oportunidad se presente, preparar y hacer implacable guerra, secreta y abiertamente contra todos los herejes, Protestantes y Masones, como yo he sido ordenado hacer extirparlos de la faz de toda la tierra; y que yo no perdonaré ni edad, sexo o condición, y que yo ahorcaré, quemaré, destruiré, herviré, despellejaré, estrangularé y enterraré vivos a estos infames herejes; rasgaré los estómagos y vientres de sus mujeres, y machacaré las cabezas de sus infantes contra la pared para poder aniquilar su execrable raza. Que cuando lo mismo no pueda ser hecho abiertamente, yo secretamente usaré la copa de veneno, la cuerda de estrangulación, el acero de la daga, el plomo de la bala, sin importar el honor, rango, dignidad, o autoridad de las personas, cualquiera que sea su condición en la vida, ya sea pública o privada, puesto que en cualquier momento yo pueda ser ordenado hacerlo por los agentes del Papa, o superior de la Hermandad del 'Santo Padre' de la Sociedad de Jesús."*

*"En confirmación de lo cual yo por la presente dedico mi vida, alma, y todos los poderes corporales, y con la daga cual ahora recibo yo suscribiré mi nombre escrito con mi sangre como testimonio de lo cual; y si*

*yo soy probado falso o débil en mi determinación, que mis hermanos y compañeros soldados de la milicia del Papa corten mis manos y pies y mi garganta de oreja a oreja, mi panza abierta y azufre queme dentro con todo el castigo que pueda ser infligido sobre mí en esta tierra y mi alma será atormentada por demonios en el infierno eterno para siempre."*

*"Que yo cuando vote siempre votaré por un Caballero Católico en preferencia a un Protestante, especialmente un Masón, y que yo dejaré mi partido para hacerlo; que si dos Católicos están en la candidatura yo me aseguraré cuál es el que mejor apoya la 'Madre Iglesia' y votaré en consecuencia."*

*"Que yo no trataré no emplearé a un Protestante si está en mi poder tratar o emplear a un Católico. Que yo pondré las niñas católicas en las familias Protestantes para que un reporte semanal sea hecho de los movimientos internos de los herejes."*

*"Que yo me proveeré con armas y munición para que yo esté listo cuando la voz sea pasada, o yo sea ordenado defender ya sea la iglesia como individuo o con la milicia del Papa."*

*"Todo lo cual yo,...juro por la bendita Trinidad y bendito sacramento cual ahora voy a recibir para desempeñar y en parte para cumplir éste, mi juramento."*

*"En testimonio de presente documento, yo tomo este el más santo y bendito sacramento de la Eucaristía y atestiguo el mismo más adelante con mi nombre escrito con la punta de esta daga mojada con mi propia sangre y sellado a la luz del santo sacramento." »*

Para empezar a desmembrar el poder de la Iglesia, el resto de las sociedades secretas y los grupos que dependían de ellas se infiltraron profundamente en ella durante la contienda mundial. Lo hicieron, entre otros, miembros de la OSS (la precursora de la CIA), del M-I6 británico, de la Nobleza Negra, masones, especialmente miembros de una logia masónica muy poderosa en Italia denominada P2 (Propaganda Due), todos estos, a su vez, protegidos por el Comité de los Trescientos, para que la manipulación del Vaticano fuera llevada a cabo con éxito y sin llamar la atención. Entre los infiltrados, en 1976, aparecen los nombres del cardenal Jean Villot (secretario de Estado del Vaticano), Agostino Casaroli (ministro de Exteriores del Vaticano), el cardenal Sebastiano Baggio, el cardenal Ugo Poletti o el director del banco del Vaticano, el arzobispo Marcinkus, entre otros.

Puesto que los bancos bajo control Illuminati (de los Rothschild, principalmente) financiaron a ambos bandos durante la contienda, el control del resultado de la misma siempre estuvo en sus manos. Esta conexión secreta entre ambos bandos al más alto nivel se hacía evidente poco a poco. Por ejemplo, cuando Allen Dulles, entonces director de la CIA, se entrevistó en secreto con el jefe de las SS alemanas Gehlen, para facilitar la huida de los oficiales alemanes a Suiza a través de la cobertura de la Iglesia católica en la que se habían infiltrado. Tras la guerra, una enorme sección del entramado de las SS fue puesta bajo el control de la CIA, se ayudó a escapar a los principales responsables nazis a varios países latinoamericanos y todos los científicos y mentes brillantes nazis fueron "rescatados" mediante la Operación Paperclip. Es decir que aquellos que controlaron las reglas del juego durante toda la contienda simplemente movieron sus peones de un sitio a otro según su conveniencia.

Al mismo tiempo, otros miembros del Comité de los Trescientos, como Joseph Retinger, establecieron contactos directos con el papa Pablo VI, quien ya había colaborado con la OSS, y con el príncipe Bernard de Holanda, quien antes de la guerra había apoyado a las SS alemanas a través de la empresa IG Farben. Cuando, en 1948, su esposa Juliana se convirtió en reina de Holanda, el príncipe Bernard empezó a trabajar para Shell Oil, y poco después organizó la primera reunión del Club Bilderberg, en mayo de 1954, a instancias de Joseph Retinger y del Comité de los Trescientos. Puesto que el príncipe Bernard también era miembro del Comité, se convirtió en el primer director del Club Bilderberg, que nació para acelerar los cambios necesarios para la culminación de los planes de gobierno único a nivel político, económico y social, ya muy avanzados gracias a las estructuras de control de las masas implementadas.

Mientras tanto, la infiltración en el Vaticano continuó profundizándose. Miembros de todas estas organizaciones ocuparon posiciones de poder dentro de la Iglesia y, según parece, permanecen hoy en día bajo el control del Comité de los Trescientos, de la Nobleza Negra y, por extensión, de los Illuminati de Baviera.

## Las organizaciones creadas para impulsar el nuevo orden mundial a partir del Comité de los Trescientos

Una vez que la mayoría de las instituciones globales estuvieron infiltradas, controladas e influenciadas, empezaron a consolidarse las ramificaciones para acelerar los planes del nuevo orden mundial. Debido a la complejidad de la sociedad en la que vivimos, especialmente en lo que conocemos como el mundo "occidental", aquellos que controlan el poder creen que solo atacando por múltiples frentes a la vez podrá realizarse por completo la última parte de los planes de Albert Pike, Weishaupt y compañía. Aquí cumplen su función las instituciones de nivel 4 y 5. Ya no se trata de organizaciones secretas, sino de organismos públicos o semipúblicos, registrados legalmente como grupos de estudio, *think tanks*, institutos, fundaciones, organizaciones sin ánimo de lucro, etc. Todos con las mismas raíces, los mismos padres, las mismas fuentes de financiación en la cúspide de su pirámide organizativa y los mismos objetivos. Entre todas ellas, a continuación destacamos las más importantes en estos momentos.

**La Comisión Trilateral**

Esta organización semipública fue fundada en 1973 por David Rockefeller y Zbigniew Brzesinski, porque, según su percepción, en Naciones Unidas el trabajo para controlar el resto de los países iba demasiado despacio. El objetivo era reunir a los personajes más poderosos de Estados Unidos, Europa y Japón en un solo fórum, una organización elitista compuesta por unos doscientos miembros con poder para inculcar las ideas y filosofías del nuevo orden mundial en aquellos que podían implementarlas, es decir, los gobiernos que tomaban las decisiones en Naciones Unidas. La mayor parte de estos doscientos miembros son masones de alto rango, con el poder suficiente para que, por ejemplo, el papa Juan Pablo II, el 8 de abril de 1983, recibiera en audiencia pública a la Comisión Trilateral como organización, y no simplemente a sus miembros a nivel individual.

**El Club Bilderberg**

Un par de décadas antes de la creación de la Comisión Trilateral, los Bilderberg ya tenían sus primeras reuniones. Es el grupo "público" más conocido y al cual el mayor número de personas le achaca las grandes decisiones geopolíticas, sociales y económicas. Se reúnen cada año en semisecreto, generalmente con seguridad militar y con fuerte apoyo del gobierno que los acoge. Los asuntos discutidos se mantienen también en semisecreto, aunque cada vez más periodistas intentan sacar a la luz lo que allí dentro se debate.[10] La estructura de las reuniones es la de conferencias, llevadas a cabo generalmente en hoteles de cinco estrellas en cualquier parte del mundo. La asistencia a la reunión es estrictamente con invitación.

La primera reunión tuvo lugar en 1954 en el Hotel Bilderberg en los Países Bajos. Entre sus organizadores destacaron el emigrante polaco y consejero político (y miembro del Comité de los Trescientos) Joseph Retinger y el príncipe Bernard de Holanda. Según declaraciones de este último, preocupado por el creciente sentimiento antinorteamericano en Europa occidental, propuso una conferencia internacional en la que los líderes de los países de Europa y Estados Unidos se reunieran con el objetivo de promover la comprensión entre las culturas de Estados Unidos y de Europa. El mismo príncipe Bernard, en los inicios del Bilderberg, no escondía que el último objetivo de su "club" era la creación de un único gobierno mundial y que, mientras este se iba construyendo poco a poco, los Bilderberg coordinarían los esfuerzos de la élite europea y estadounidense en este sentido.

Aunque la agenda y la lista de participantes están disponibles para el público, no está claro que estos detalles sean revelados por el propio grupo. Además, el contenido de las reuniones se mantiene en secreto y los participantes se

---

[10] Particularmente famoso por ello es el periodista y escritor Daniel Estulín.

comprometen a no divulgar lo que se discute. Justifican el secretismo de las reuniones con el argumento de que esto permite a las personas hablar libremente, sin la necesidad de considerar cuidadosamente cómo cada palabra puede ser interpretada por los medios de comunicación.

La contrapartida norteamericana al príncipe Bernard en Europa es David Rockefeller, largo tiempo presidente del CFR y encargado de coordinar las agendas de ambas organizaciones a ambos lados del océano. Evidentemente, no todos los que asisten a una conferencia Bilderberg son parte del círculo interno del grupo que realmente mueve los hilos, ya que en las sesiones generales hay muchos invitados que no participan luego en los debates privados, a puerta cerrada, donde se toman las decisiones que luego implementan los niveles inferiores de la pirámide de control. Es decir, las políticas y decisiones del Club Bilderberg no dependen de aquellos que asisten a las reuniones generales —que son solo una cortina de humo para desviar la atención hacia figuras más o menos conocidas por todos—, sino de pequeños grupos del círculo interno de control de la organización al cual tienen acceso muy pocos. Este núcleo elitista, llamado el Steering Committee, está compuesto solo por veinticuatro europeos y quince estadounidenses. Pero aún hay más, puesto que, dentro del Steering Committee, los *insiders* de la organización, existe otro grupo, el Bilderberg Advisory Committee, al que solo los más poderosos e influyentes entre los poderosos e influyentes tienen acceso. Aquí parece estar el poder del poder de este nivel.

### El Club de Roma

Si con la Comisión Trilateral, el Club Bilderberg y el CFR los miembros de las organizaciones del nivel 5 no tenían bastante para acelerar la agenda del nuevo orden mundial, tampoco tenían reparos en crear más organismos que echaran más leña al fuego para llegar al planificado destino.

Así, otra nueva organización que surgió del empeño del clan Rockefeller (otro linaje con raíces que parece perderse en la antigüedad) por conectar a aquellos con poder para implementar el gobierno mundial único fue el llamado Club de Roma, un grupo de unas cincuenta personas de aproximadamente veinticinco nacionalidades, con sede en la propiedad privada de los Rockefeller en Bellagio, Italia, y financiado por ellos en su totalidad. El objetivo de la organización es el mismo: estudiar la forma de implementar un sistema global a nivel social y económico, influenciar a aquellos que tienen la potestad para tomar decisiones y promover las agendas de las organizaciones secretas a las que pertenecen.

## Las organizaciones creadas para el control económico global

Así como, por ejemplo, el CFR o los Bilderberg son instituciones principalmente políticas, este sistema no puede existir sin un férreo control monetario y financiero de toda la sociedad a nivel global. Toda dominación global, tal y como fue planificada por los fundadores de estos planes, pasa principalmente por el control de la economía. Para ello necesitan de ciertas instituciones con absoluto poder a nivel planetario, lo que consiguen controlando los recursos a través de los bancos centrales de los diferentes estados. Las instituciones siguientes destacan en este entramado.

**La Reserva Federal Americana**

Como comentamos brevemente al analizar el nivel anterior, hacia finales del siglo XIX todos los bancos controlados por los Rothschild empezaron una campaña de presión masiva para obtener el control de la economía estadounidense. Para ello, alrededor del año 1900, enviaron a uno de sus agentes, Paul Warburg, para crear las estructuras del que iba a ser el primer banco central privado de Estados Unidos. Jacob Schiff, colaborador de Paul Warburg, dijo en la Cámara de Comercio de Nueva York en 1907: "Si no conseguimos un banco central con suficiente control sobre el crédito, este país experimentará el más severo y profundo pánico financiero de su historia".[11]

Y es que no se andaban con tonterías: nada más realizar ese aviso, todos los bancos bajo el control de los Rothschild sometieron a la economía norteamericana a una crisis tal que el pánico resultante en los mercados financieros arruinó la vida de decenas de miles de personas por todo el país. Esta crisis artificial generada por los Rothschild, aparte del multimillonario beneficio que les produjo, consiguió su principal objetivo: la creación de la Reserva Federal Americana en 1913. No sé a vosotros, pero a mí esta y otras crisis financieras creadas artificialmente en las últimas décadas me recuerdan mucho a la crisis financiera actual, que sufrimos desde 2008, con la cual se persigue, especialmente en Europa, la creación de una unión bancaria, económica y financiera total bajo control, por supuesto, de los mismos de siempre.

Desde entonces y hasta ahora, la Reserva Federal Americana ha controlado la economía de Estados Unidos,

---

[11] Des Griffin, *Descent Into Slavery*.

dirigiendo sus políticas financieras, cuyo rumbo está marcado, entre otros, por los siguientes miembros y accionistas:

- Bancos Rothschild en Londres y París.
- Lazard Brothers Bank en París.
- Israel Moses Seif Bank en Italia.
- Warburg Bank en Hamburgo y Ámsterdam.
- Lehman Bank en Nueva York.
- Kuhn Loeb Bank en Nueva York.
- Rockefeller Chase Manhattan Bank en Nueva York.
- Goldman Sachs Bank en Nueva York.

Todos, como podéis ver, nombres de peso en las decisiones económicas de hoy en día. Cualquier decisión que se tome en cualquiera de las reuniones de cualquiera de estos grupos afecta irremediablemente a la economía de todo el planeta. Para bien o para mal.

### El BCE como supervisor bancario de la Eurozona

Mientras en Estados Unidos la FED mueve los hilos, en la Unión Europea es el Banco Central Europeo, quien se está erigiendo como el gran controlador y último recurso de la economía de la Eurozona. Tras las crisis de Grecia, Portugal, Irlanda, España, etc., y como estaba previsto, la Comisión Europea ha dado plenos poderes al Banco Central Europeo (BCE) para controlar la estabilidad económica y supervisar las seis mil entidades bancarias de la Eurozona. Es decir que los más de seis mil bancos de Europa pronto pasarán a estar bajo supervisión directa de un solo organismo.

Pero, como siempre, en todos los niveles hay reticencias. Por ejemplo, Alemania cree que el BCE no tiene capacidad para asumir el control de seis mil entidades y no quiere que este supervise sus cajas de ahorros y bancos públicos regionales. Y por supuesto los bancos ingleses están fuera de la Eurozona, por lo que el poder económico de la City, el Banco de Inglaterra y todos los bancos de los Rothschild quedan fuera de esta supervisión. Las reglas están puestas para que las cumplan unos cuantos, no para que mejore el nivel de la población, se solucione la crisis o se gestione el bien común. Hace mucho que nada de eso se implementa en nuestro sistema.

## El Banco Mundial y El Fondo Monetario Internacional

Si la FED y el BCE son actores regionales, con la misma filosofía, el control monetario internacional está en manos de instituciones bancarias tales como el Banco Mundial, el Fondo Monetario Internacional o el Banco de Pagos Internacionales de Suiza, que fueron creados para expandir y controlar el flujo económico e industrial por todo el planeta.

Fue un miembro del Comité de los Trescientos, Harold Lever, quien propuso lo que se conoce como el Plan Ditchley, que promulgaba que la economía estadounidense en su totalidad debía ser puesta bajo control del FMI y, en paralelo, se debían unir todos los bancos centrales de todos los países bajo la autoridad del Banco Mundial, como único banco global con poder para influir luego en las decisiones de los bancos centrales, que a su vez controlarían las políticas de los diferentes países. Si dominas a quien imprime el dinero, controlas lo que quieras en cualquier sitio.

La idea era que el FMI y el Banco Mundial —y, bajo su égida, el Banco de Inglaterra y la Reserva Federal Americana como actores secundarios— debían poner a todos los países en tal situación económica que necesitasen fondos de estas instituciones para salir a flote, pero bajo condiciones draconianas, imposibles de cumplir. Esto es lo que el Banco Central Europeo, rama en el continente del Banco Mundial, está imponiendo en países como Grecia, Irlanda, Portugal, España, Italia, etc. Los intereses que los países deben pagar a los bancos que les prestan dinero, a través del FMI, son una carga que lastra todo tipo de políticas sociales y de bienestar de la población. Los accionistas y los dueños de los bancos privados que controlan estas instituciones siguen acumulando poder, mientras se aseguran de que las condiciones para quedar libre de deuda sean cada vez más difíciles de cumplir.

## Niveles 6 y 7. Grandes conglomerados empresariales, sistema financiero, educativo, social, etc., y gobiernos públicos

Como veis, cuando te pones a destapar capas y capas de mentiras, ves que nos han vendido un mundo hecho de mucho humo y pocas verdades. El sentimiento de haber sido timado durante muchos años a veces lo deja a uno enfadado con el mundo.

Hemos mencionado ya nombres, grupos, sucesos e instituciones por todos conocidos. Pero pocos entienden que lo que se percibe como el "nuevo orden mundial" es una mezcla de las ideas del nivel 2, coordinadas y planificadas por el nivel 3 y 4 y aplicadas a la masa de la población a través de los sistemas físicos, económicos, financieros, sociales, etc., que sostienen los grupos del nivel 5 y 6 que, a su vez, manipulan completamente lo que pasa en el nivel 7.

A este nivel 6 y algo del 7 llegamos ahora. Sus componentes son las grandes empresas y corporaciones globales, la industria y el complejo militar de todos los países, los grandes medios de comunicación mundiales, las grandes farmacéuticas, los bancos y empresas que tienen el control económico de cada transacción financiera que se realiza en el globo, las agencias de calificación crediticia, las principales instituciones políticas, los grupos de expertos, los grupos de presión social, etc.

Todo lo que calificamos como de nivel 6 y 7 no es más que la suma de los actores del sistema económico y financiero, que se mueven únicamente por intereses monetarios y de poder sobre otros. En cualquiera de los países del mundo, la clase política mantiene decenas de enlaces con la industria y los bancos. El sistema de control del nivel 3 se mueve directamente por sus propios intereses, en muchos casos ajenos por completo a cualquier tipo de pirámide de manipulación de la sociedad a nivel global. Muchos no ven más allá de su dinero. Simplemente se trata de tener más clientes que consuman sus productos, un mayor porcentaje de población que se convierta en mano de obra barata y más gente a la cual manejar a gusto y sacarle hasta los últimos recursos. Un ejemplo de los más claros de la influencia de este nivel (el de las empresas) en el nivel inferior (el de los gobiernos) es el de Monsanto, el gigante de la comida transgénica que, en su carrera imparable por dominar todo lo que tenga que ver con la agricultura, consiguió que el presidente de Estados Unidos, George Bush Jr. (que, recordemos, durante su mandato era miembro de los Skulls and Bones), nombrara a la vicepresidenta de Monsanto, Virginia Weldon, como directora de la Agencia de Alimentos y Medicamentos de Estados Unidos (la FDA), cuyas políticas marcan lo que es aceptable o no en el ámbito alimentario del país. La FDA, por ejemplo, decide qué información se incluye en las etiquetas de los alimentos o qué producto se considera adecuado para el consumo humano. Es decir que, en Estados Unidos, es Monsanto quien decide qué se come y qué no. Existen miles de ejemplos como este.

Por otro lado, encontramos un nivel de la pirámide de control más próximo a la experiencia de todos nosotros, pues sus integrantes son figuras públicas elegidas "democráticamente". En realidad, son las principales marionetas, los que dan la cara a la gente. Conforman el primer nivel de poder percibido por el conjunto de la sociedad.

De hecho, todos estamos de acuerdo en que es necesario algún tipo de gobierno para gestionar la sociedad. En este nivel, todos, a priori, tenemos derecho de decisión y elección. También es un nivel en el cual es muy difícil separar el grano de la paja, pues existen políticos y cargos públicos con un verdadero deseo de cambiar las cosas. Existen subniveles dentro de este segundo nivel en los cuales hay figuras de mando que hacen grandes cosas por la gente a la que representan. Sin embargo, hablando de forma genérica, muchos de ellos tienen las manos atadas, no porque se les haya amenazado para que hagan tal o cual, sino porque no tienen más remedio. Otros, por supuesto, participan en estos esquemas de muy buena gana. Además los portales orgánicos que ocupan estas posiciones, que los hay a raudales, solo miran por ellos mismos, por sus prioridades: el éxito material y financiero, el poder, la ambición, el deseo de control, etc. Echad un vistazo a los casos de corrupción de vuestro país.

# Entender las estructuras físicas del sistema de control

Creo que es el momento ya de ver cómo funciona este sistema de control a nivel práctico, pues estamos en el nivel de la pirámide adecuado para ello. Si sabemos los motivos por los cuales existe, quién está detrás y por qué, tenemos que conocer el cómo. Recordemos que el sistema en el que vivimos está basado en una pirámide cuyos componentes más directos para nosotros están ubicados en los niveles 6 y 7. Los niveles superiores dictan las ideas y conceptos, y su puesta en marcha está a cargo de los niveles inferiores.

¿Qué objetivos tienen los niveles más bajos de la pirámide de poder, auspiciados por los niveles superiores?

## Objetivo 1. Control individual, monitorización de la sociedad

Lo primero que debe hacer un sistema de control si quiere tener a la población monitorizada y sometida es poner férreas normas y leyes, que sean vistas como positivas y necesarias, de forma que la gente siga creyendo que vive en libertad, sin darse cuenta de que vive controlada hasta en el más mínimo movimiento. No existe correo electrónico, llamada de teléfono, carta, transacción bancaria, SMS, fax o conversación de Skype que no sea monitorizada por redes tipo Echelon, la más conocida de las redes de espionaje de la población a escala mundial.

Desde que su existencia salió a la luz pública, Echelon está considerada la mayor red de espionaje y análisis para interceptar comunicaciones electrónicas. Controlada por Estados Unidos, Reino Unido, Canadá, Australia y Nueva Zelanda, Echelon puede capturar comunicaciones por radio y satélite, llamadas de teléfono, *e-mails* y faxes en casi todo el mundo, e incluye un análisis automático y la clasificación de las interceptaciones de forma instantánea. De hecho, se estima que Echelon intercepta más de tres mil millones de mensajes de todo tipo cada día. A pesar de haberse desarrollado con el fin de controlar las comunicaciones militares de la Unión Soviética y sus aliados, se sospecha que en la actualidad Echelon se usa para encontrar pistas sobre tramas terroristas, planes del narcotráfico, espionaje político, diplomático, de empresas, de dirigentes potencialmente clave para el sistema, etc. Se afirma que el sistema se utiliza también en el espionaje económico de cualquier nación y en la invasión de la privacidad a gran escala.

Si tenemos conocimiento del tema, es porque Winslow Peck hizo pública su existencia en 1976, en un informe encargado por el Parlamento europeo. Nuevas investigaciones realizadas en 2000 llevaron a la Eurocámara a reconocer oficialmente la existencia de Echelon en septiembre de 2001 y a recomendar a los ciudadanos europeos la encriptación de sus comunicaciones, dada la inexistencia de control judicial sobre tales actividades.

Desde su puesta en marcha, el sistema es administrado por la NSA (National Security Agency) de Estados Unidos, que tiene la base operativa en Maryland, donde cuenta con más de cien mil empleados. Otras fuentes hablan de trescientos ochenta mil empleados a escala mundial, por lo que es probablemente la mayor organización de espionaje del mundo. Toda la información recogida por las estaciones repartidas en las diferentes zonas del globo controladas por los cinco países creadores de Echelon es enviada por satélite desde la base de Menwith Hill (Reino Unido) hasta la base de Echelon en Fort Meade, Maryland.

Inicialmente, a cada uno de los cinco estados de esta alianza le fue asignado el control de un área diferente del planeta. La tarea principal de Canadá, por ejemplo, solía ser el control del área meridional de la antigua Unión Soviética. Después de la guerra fría, se puso mayor énfasis en el control de comunicaciones por satélite y radio en Centroamérica y Sudamérica, principalmente como medida para localizar el tráfico de drogas en la región. Estados Unidos, con su gran cadena de satélites espías y puertos de escucha, controla (espía) gran parte de Latinoamérica, Asia, la Rusia asiática y el norte de China. Por su parte, Gran Bretaña intercepta comunicaciones en Europa, Rusia y África. Finalmente, Australia examina las comunicaciones de Indochina, Indonesia y el sur de China, mientras que Nueva Zelanda barre el Pacífico occidental.

Peck afirma que estos estados han ubicado estaciones de intercepción electrónica y satélites espaciales para capturar gran parte de las comunicaciones establecidas por radio, satélite, microondas, móviles y fibra óptica, señales que son luego procesadas por una serie de superordenadores, conocidos como “diccionarios”, programados para buscar patrones específicos en cada comunicación, ya sean direcciones, palabras, frases o incluso voces específicas. Según el informe de Peck, el sistema dispone de ciento veinte estaciones fijas y satélites geoestacionarios que pueden filtrar más del noventa por ciento del tráfico de internet, captar ondas electromagnéticas de todo tipo de sistemas de comunicaciones y transmitirlas rápidamente a un lugar central para su procesamiento.

Otra red de este tipo, más local, es la recientemente destapada TrapWire, de la cual desaparecen rápidamente todas las referencias, artículos y datos de internet a medida que vas rebuscando. Según media docena de noticias que aparecieron de golpe en julio de 2012, TrapWire es un *software* de reconocimiento facial instalado y conectado a prácticamente todas las cámaras de seguridad de los países del mundo occidental (cuyos gobiernos son los más interesados en instalarlas). De hecho, se cree que TrapWire está instalado en sitios como la Casa Blanca, el 10 de Downing Street, New Scotland Yard, el London Stock Exchange y en más de quinientos puntos en el metro de Nueva York. Puede reconocer instantáneamente a cualquier persona en cualquier lugar (no en cualquier parte del globo, pero sí en la mayoría de los países con cámaras de seguridad conectadas a la red). Así que es otra forma de seguirnos la pista.

Si queremos pasar desapercibidos y que se respete nuestra privacidad, lo tenemos bastante complicado últimamente.

No estamos muy lejos de que nos lean hasta el pensamiento. En todo caso, es obvio que nada que circule por un medio electrónico se salva del control de estos sistemas y que queda registrado qué sitios visitamos. Probablemente estos no son los únicos sistemas existentes, aunque sean los dos más conocidos a escala mundial.

## Operaciones de bandera falsa

Una vez que tienes monitorizada a la población de forma global, imponer ciertas leyes, normas y restricciones no es demasiado difícil. Se hace principalmente mediante la llamada teoría del problema-reacción-solución, muy citada por Noam Chomsky o Naomi Klein.

Puesto que es muy difícil imponer ciertas reglas y órdenes a un grupo grande de población sin que esta recele o se rebele, el método para ello es hacer que el mismo grupo de población pida este tipo de reglas, de restricciones, de controles, como respuesta a una necesidad generada.

Se hace simplemente creando eventos, sucesos y problemas para que la gran masa de la humanidad, por regiones, países o zonas, según interese, demande respuestas y soluciones a sus dirigentes percibidos como responsables de salvaguardar esas supuestas libertades y calidad de vida.

Toda imposición de más control y más restricción sobre la población está precedida de un montón de pamplinas (para el que las ve) sobre el beneficio que nos aportan. Sean leyes para pagar más impuestos porque hay que sortear una crisis (generada a propósito); sean restricciones individuales para viajar, reunirse, protestar, etc., redactadas tras eventos, atentados, operaciones de bandera falsa, etc., autogenerados por el propio sistema de control para poder ofrecer esas mismas soluciones.

Y ¿qué son las operaciones de bandera falsa? Se denominan así aquellos atentados o sucesos provocados por operaciones clandestinas y secretas de los propios gobiernos que los sufren, y achacados a terceros para poder crear así excusas que permitan ofrecer la solución que aquellos autoatacados desean imponer. Ejemplos de atentados de bandera falsa son los del 11 de septiembre en las Torres Gemelas (por "Al-CIA-eda" y el Mossad), los atentados de metro y bus de Londres, el 11-M en Madrid (obra de la llamada Operación Gladio, de la OTAN), los atentados de Bombay en la India, las bombas en las embajadas estadounidenses en África hace unos años, etc. Podéis encontrar en la red numerosos y muy buenos libros de investigación sobre todo este tipo de eventos, tapados por supuesto por otras decenas de publicaciones del sistema de control para cubrir todos los posibles deslices hacia la verdad. Como en todo, cuesta trabajo discernir el trigo de la paja.

Las operaciones de bandera falsa están pensadas para provocar una reacción que permita justificar una intervención o una respuesta preparada de antemano, para encubrir otra situación mucho más importante y que se quiere esconder al público en general. Estas operaciones están ordenadas y dirigidas muchas veces desde lo más alto de la cúpula política o militar de los gobiernos o servicios secretos.

Así, si se desea restringir el movimiento de la gente, no hace falta nada más que generar algún que otro atentado en un avión, culpar a quien interese y luego imponer nuevas leyes, controles y otras medidas de seguridad que realmente lo que hacen es limitar la libertad de acción y de decisión de la población de forma fulminante.

## Objetivo 2. Mantener a la gente en un estado tal que este control sea lo más fácil posible

Después de las acciones de control mediante leyes y reglas, las más claras se basan en la parte física del planeta, es decir, en el control de las necesidades de la masa de la población relacionadas con la supervivencia, de las que la alimentación es la primera. Esto supone controlar los recursos primarios bajo una apariencia de libre mercado, de plenitud de opciones, de libre albedrío para escoger y hacer lo que uno quiera, cuando, en realidad, las opciones están limitadas a lo que los responsables últimos de los niveles de control desean.

Empecemos por la comida, por ejemplo, ya que aquí se mezclan intereses de todos lados. Especialmente de grandes empresas del nivel 3, pues el negocio de la salud reporta muchos beneficios si se saben jugar bien las cartas.

"Somos lo que comemos", reza el refrán. Si los de arriba quieren que no seamos demasiado revoltosos, inquisidores, preguntones, contestones, objetores, revolucionarios y demás, deben alimentarnos con todo aquello que, más que darnos salud, nos mantiene, sin darnos cuenta, más o menos vivos, lo suficiente para que sigamos comprando y consumiendo.

En un artículo de la página *Pijamasurf,*[12] su editor Lucio Montlune ofrece un interesante análisis de la procedencia de prácticamente todo lo que consumimos a diario. Demuestra que casi todo proviene de solo diez empresas. Resulta chocante, ¿verdad? Pues son diez las grandes corporaciones que controlan prácticamente todo el mercado de alimentos, bebidas, cosméticos y demás productos que consumimos cada día en la sociedad occidental. Son estas: Nestlé, Kraft, Coca-Cola, Pepsico, P&G, Kellogs, Mars, Unilever, Johnson & Johnson y General Mills. Ni una más ni una menos.

Dice Montlune:

> Vivimos en una época en la que se nos invita a definir nuestra identidad a partir de los productos que elegimos consumir. Lo que ridículamente nos

---

[12] http://pijamasurf.com/2012/05/las-10-companias-que-controlan-basicamente-todo-lo-que-consumes/

venden como un ejercicio existencial de libre albedrío, dentro del cual tenemos la radiante autonomía para decidir si vamos a lavar nuestro cabello con un producto de L'Oreal o con uno de Pantene, si vamos a comenzar nuestro día alimentándonos con unas hojuelas azucaradas de Nestlé o con un Corn Pops de Kellogs, o incluso para elegir si celebraremos nuestra decadencia gastronómica asistiendo al KFC o al Pizza Hut, lo cierto es que esta virtual libertad está acotada a la colosal gama de productos que derraman en el mercado solo diez grandes compañías.

De acuerdo a lo anterior hay dos fenómenos particularmente significativos en la construcción de la sociedad contemporánea. Por un lado el hecho de que el mercado, o mejor dicho la mercadotecnia, ha logrado penetrar en el grado más íntimo de nuestra existencia, la autopercepción. Que la mayoría de las personas, ya sea consciente o inconscientemente, asuma como principal diferenciador el grupo de objetos de los cuales se rodea, y en consecuencia de las marcas que respaldan a estos productos, nos indica que al momento de concebirnos, de percibir nuestra propia identidad, difícilmente desasociamos nuestra escénica de nuestros hábitos de consumo. El siguiente fenómeno se refiere a esta libertad simulada que nos sugieren las grandes corporaciones, un escenario repleto de logos, paletas de colores, eslóganes y construcciones colectivas en torno a las marcas. Y si lo analizamos objetivamente, no solo no estamos gozando de una libertad —pues el margen de una identidad social más allá de lo que consumimos es mínimo—, sino que ni siquiera es que exista una diversidad real, pues aquellas pequeñas marcas que pretendían ofrecer "algo diferente" fueron ya absorbidas por los grandes conglomerados comerciales.

Y es que Coca-Cola, Pepsico, Kellogs, Nestlé, Johnson & Johnson, P&G, Mars, Unilever y General Mills poseen decenas de marcas que impregnan la cotidianidad de millones de personas alrededor del mundo.

Es realmente asombroso ir al supermercado donde hacemos la compra todos los días y mirar las marcas, para buscar luego en internet la empresa que las comercializa, para darnos cuenta de que no encontramos más que estas diez empresas en el noventa y muchos por ciento de los casos. Espeluznante.

## La comida orgánica, más de lo mismo

Desde que los consumidores más o menos concienciados con su salud han dejado de comprar sus productos de siempre (los de estas 10 empresas), estas macrocorporaciones también han tratado de vendernos sus mismos productos, pero ahora siendo "orgánicos" y "sanos". En realidad, solo se trata de etiquetas controladas por esta multimillonaria industria, que es la que determina qué ingredientes son admitidos dentro de la todo poderosa categoría de productos "orgánicos", tan atrayente actualmente y que tan buen nicho de mercado está resultando.

De nuevo, Lucio Montlune da en el clavo cuando explica que la etiqueta de "orgánico" en un alimento se ha convertido en una fórmula mágica que nos hace sentirnos bien al tiempo que gastamos dinero extra para obtener un bienestar prometido. Sin embargo, esta industria, la de la comida orgánica, al menos en su versión de supermercado, se ha convertido en una enorme fantasía cooptada por las grandes corporaciones de las cuales supuestamente huyen las personas que compran estos productos "más sanos".

En una lógica perversa, el negocio parece ser redondo. Primero grandes corporaciones, del llamado *Big Food*, llenan los alimentos de aditivos, conservantes y demás químicos que estropean la salud de los consumidores. Se crea un movimiento de conciencia en torno a estos alimentos y se genera una industria que busca salvaguardar el bienestar del consumidor produciendo alimentos a la vieja usanza, que mantengan un estándar de calidad. Se populariza el término *orgánico*, un tanto difuso, para referirse a aquellos alimentos producidos sin el recurso a métodos modernos como el uso de pesticidas y fertilizantes químicos o la modificación genética, y, en general, sin dañar el entorno. Una especie de purismo ideológico que alimenta. Los químicos son los enemigos —aunque, por supuesto, todo organismo es químico naturalmente.

Buscar alimentarse sanamente y romper con la cadena que controlan las grandes corporaciones, regresar a los pequeños productores y recuperar el valor, perdido en el proceso industrial, de hacer los alimentos con una intención de nutrir ("hecho con amor" es el eslogan favorito)... todo esto no solo parece positivo, sino incluso parte de la evolución humana. Sin embargo, juegan en contra, por una parte, los invasivos y malignos tentáculos de las grandes corporaciones, y por la otra, la ingenuidad del consumidor, que generalmente compra ilusiones que aumenten su producción de dopamina y reafirmen cómodamente lo que quiere creer como real. Pero, en muchos casos, esta moda de alimentarnos de productos orgánicos no es más que un plácido y frívolo (aunque sea bienintencionado) autoengaño.

Las mismas compañías que producen o producían alimentos casi venenosos promueven ahora los alimentos orgánicos, enarbolando un nuevo mito de comunión edénica a partir del poder inmaculado de la comida no alterada por los procesos industriales de la modernidad: un regreso a la naturaleza.

El hecho de que los consumidores estén dispuestos a pagar más dinero por un producto orgánico no ha pasado desapercibido para las grandes corporaciones de alimentos. Recurriendo a su varita mágica, el márquetin, han logrado —sin que el consumidor lo perciba— tomar el control del mercado e influir en cómo y qué se etiqueta como "orgánico". Muchos de los grandes nombres de los alimentos orgánicos han sido adquiridos por las grandes corporaciones sin que esto llegue al conocimiento del consumidor: Bear Naked, Wholesome & Hearty y Kashi pertenecen al gigante de los cereales Kellogs; Naked Juice es parte de Pepsico, y detrás de Walnut Acres, Healthy Valley y Spectrum Organics está Heinz, la marca de kétchup cuyo CEO participa en la reuniones Bilderberg. Esto no es todo, Coca-Cola, General Mills, Nestlé, Kraft y otras megacorporaciones han "devorado" la mayor parte de la industria de la comida orgánica en Estados Unidos.

Y es que ¿acaso comprarías zumo de arándano orgánico si supieras que está producido por Coca-Cola? ¿Te sabría igual?

Así están las cosas en Estados Unidos, de donde viene una gran parte de estos productos manufacturados, pero seguramente también en muchas partes del mundo en las que se adopta el modelo comercial de este país. En los grandes supermercados, a veces el mismo producto, solo con la etiqueta mágica de "orgánico", cuesta casi el doble. Si quieres comer productos "orgánicos", lo mejor que puedes hacer es producir tus propios alimentos o comprarlos a personas conocidas que tengan huertos cerca de donde vives.

## Cómo se creó el odio a la grasa

Otro tema muy importante relacionado con nuestra alimentación que ha sido completamente puesto del revés es el del colesterol y la grasa. Ana Muñiz, en un artículo titulado *"Cómo se creó el odio a la grasa"*,[13] lo explica de esta forma:

> Todo el mundo cree que consumir grasas de origen animal (saturadas) es malo para la salud y es la primera causa de enfermedades cardiovasculares. Las grasas saturadas elevan el colesterol y causan placas de ateroma que obstruyen las arterias (aterosclerosis). Así que las recomendaciones habituales en nutrición limitan el consumo de leche, carne, huevos, mantequilla y queso. Y también el coco y aceite de palma tropical que contienen mucha grasa saturada. Veamos de dónde salen tales ideas...
>
> Hace aproximadamente cien años apenas existía obesidad en las sociedades occidentales. La gente moría de neumonía, infecciones, tuberculosis, etc., y las enfermedades cardiovasculares eran algo excepcional. Hoy en día el setenta y cinco por ciento de las muertes son por enfermedades coronarias y cáncer.
>
> En 1911, Procter & Gamble, que posee marcas como Pantene, Olay, Hugo Boss..., comenzó a vender

---

[13] http://megustaestarbien.com/2012/08/16/como-se-creo-el-odio-a-la-grasa/

un nuevo alimento: Crisco, que no dejaba de ser aceite de semillas de algodón cristalizadas que antes se usaban para hacer velas y jabón. Pero, con la llegada de la electricidad, descendió su venta. Y así empezaron a venderse las primeras grasas trans en forma de manteca vegetal como una alternativa a las grasas de origen animal. Regalaron un libro con seiscientas quince recetas y usaron la publicidad para demonizar la grasa animal.

La evidencia que apoyaba la hipótesis de que las grasas saturadas estaban relacionadas con las enfermedades cardiovasculares se basaba en un estudio de 1913 hecho con conejos (animales herbívoros) alimentados con grandes dosis de colesterol (de origen animal), que provocaban placas en las arterias de los conejos. Sin más, se extrapolaron esos datos como válidos para humanos. Pero, si se alimentan ratas, perros o humanos con colesterol, no se producen lesiones en las arterias.

En 1948 se investigó a cinco mil personas y se vio que las que tenían colesterol más alto eran más propensas a enfermedades cardíacas. Así la Asociación Americana del Corazón comenzó a promover una dieta prudente en la que la mantequilla, manteca de cerdo, carne de vaca y huevos eran sustituidos por aceite de maíz, margarina, pollo y cereales.

Entonces llegó Ancel Keys, que, en 1953, publicó un estudio relacionando las muertes por enfermedades del corazón con el porcentaje de calorías de grasa en la dieta. Para ello estudió la población de seis países, que no sabemos cómo escogió. Más tarde, en 1970, el estudio se amplió a siete países. A Italia, Japón y Estados Unidos, que aparecían en el estudio original, se añadieron Finlandia, Grecia, Países Bajos y Yugoslavia, y se consolidó la idea de asociar las grasas saturadas a las enfermedades del corazón. Pero no se prestó atención a la cantidad de otros macronutrientes (hidratos y proteínas) que se consumían. Además de trabajar con estadísticas que en aquel entonces se basaban en datos confusos sobre las causas de muerte, que, con diagnósticos poco claros, se achacaban al "corazón u otros".

Keys, de forma deliberada, omitió datos de otros dieciséis países que no cumplían con el resultado que esperaba obtener, como Holanda y Noruega, que consumen mucha grasa sin padecer un alto índice de enfermedades cardíacas, y no incluyó a Chile, que no consume grasa y tiene alta incidencia de enfermedades cardíacas. Si hubiera elegido poblaciones como los masáis en Kenia y norte de Tanzania, que comen leche, carne y sangre de ganado con un sesenta y seis por ciento de grasa saturada; los esquimales inuits del Ártico alimentados con carne y grasa de ballena con setenta y cinco por ciento de grasa saturada; la tribu rendille en el desierto del noreste de Kenia, que subsiste con leche y carne de camella y *banjo* (una mezcla de leche de camella y sangre con un sesenta y tres por ciento de grasas saturadas), o los habitantes de Tokelau, en territorio de Nueva Zelanda, que comen básicamente pescado y coco, con un sesenta por ciento de grasa saturada, las gráficas habrían sido diferentes e incluso podría haber demostrado que el aumento del porcentaje de calorías de grasa en la dieta reduce el número de muertes por enfermedad cardíaca coronaria, ya que estas poblaciones no padecen enfermedades cardiovasculares ni cáncer. Y en realidad las personas que tienen mayor porcentaje de grasas saturadas en sus dietas tienen menor riesgo de enfermedad cardíaca.

Lo que se podría haber entendido manejando esos datos es que correlación no implica causalidad, pero parece que a algunos "científicos" les cuesta asumirlo. Y ahora tus creencias se basan en datos sesgados y en estudios estadísticos de épocas en que la estadística aún no contaba con datos fiables.

Lo malo de estos temas es que podríamos escribir la *Enciclopedia Británica* desmontando los tejemanejes de las industrias agrícolas, de alimentación, de salud, etc., porque el entramado construido en las últimas décadas es espectacular. El único incentivo es el control de los nichos de mercado y de los beneficios: vender más y ganar más. De hecho, las grandes crisis alimentarias del planeta, especialmente en países pobres, han sido generadas y aprovechadas por empresas para hacer subir el precio de ciertos alimentos básicos.

Veamos un ejemplo. Glencore International AG, con sede en Suiza, se considera la principal empresa privada dedicada a la compraventa y producción de materias primas y alimentos del mundo. En el año 2010 su facturación fue de 145.000 millones de dólares, un treinta y seis por ciento más que en 2009, y el beneficio neto mejoró un cuarenta y uno por ciento, y se situó en 3.800 millones. Glencore controla el cincuenta por ciento del mercado mundial de cobre, el sesenta por ciento de cinc, el treinta y ocho de alúmina, el veintiocho de carbón para centrales térmicas y el cuarenta y cinco de plomo.

En alimentos básicos, controla casi el diez por ciento de trigo del mundo, cerca del veinticinco del mercado mundial de cebada, girasol y colza. Además, posee cerca de 300.000 hectáreas de tierras de cultivo y es uno de los mayores productores de grano del mundo.

La ira de las agencias de ayuda internacional se desató cuando su director, Chris Mahoney, declaró, con toda tranquilidad, que la sequía que sufre una gran parte del planeta es una de las mejores oportunidades de negocio para Glencore.[14]

Lo que hace Glencore simplemente es jugar con los alimentos básicos de millones de personas, gracias a su posición dominante en el mercado, dejando que los precios suban estratosféricamente, controlando o reduciendo su disponibilidad, su distribución, etc., según convenga a sus intereses. A priori son las mismas reglas que figuran en todo manual de gestión de empresas. Pero sus prácticas generan hambrunas y miles de muertes en los países sin medios para comprar alimentos básicos, pero sometidos a los dictámenes del mercado si desean acceder a ellos.

Según la ONU, con menos del uno por ciento de los fondos económicos que han utilizado los gobiernos para salvar al sistema financiero global (los bancos y las empresas que desataron la crisis económica), se podría poner fin a la calamidad y al sufrimiento de miles de millones de personas

---

[14] www.independent.co.uk/news/world/politics/well-make-a-killing-out-of-food-crisis-glencore-trading-boss-chris-mahoney-boasts-8073806.html

(casi la mitad de la población mundial), víctimas de la hambruna a escala mundial.

Los recursos esenciales para la supervivencia están supeditados a la lógica de rentabilidad capitalista de un puñado de corporaciones trasnacionales (con capacidad informática, financiera y tecnológica) que los controlan a nivel global y cuentan con protección militar-nuclear de Estados Unidos y las superpotencias. La producción y comercialización de alimentos no está supeditada a la lógica del bien social, sino a la más cruda lógica de la rentabilidad capitalista.

Como hemos visto, y según corrobora la propia FAO, diez corporaciones trasnacionales controlan actualmente el ochenta por ciento del comercio mundial de los alimentos básicos. Un número similar de megaempresas dominan el mercado internacional del petróleo, de cuyo impulso especulativo se nutre el proceso de aumento del precio de los alimentos, causa de la hambruna que se extiende por todo el planeta. Entre los primeros pulpos trasnacionales de la alimentación, se encuentran las empresas que ya hemos visto, a las que se suman otras como la francesa Groupe Danone S.A., que, además de controlar la comercialización y las fuentes de producción, poseen todos los derechos sobre semillas e insumos agrícolas a escala global.

Despojados de su condición de bienes sociales de supervivencia, esos recursos se convierten en mercancía con un valor fijado por la especulación en el mercado. Los precios no dependen solo por la demanda del consumo masivo, sino básicamente de la demanda especulativa en los mercados financieros y agroenergéticos. Aquí hay que buscar la causa principal de las hambrunas y conflictos sociales que azotan muchas regiones del planeta.

## Objetivo 3. Controlar lo que la gente sabe. Los medios de información

Además de vigilar lo que comemos y bebemos, el sistema se mantiene en pie porque controla lo que sabemos, conocemos y entendemos del mundo en el que vivimos. Los medios de comunicación son el elemento perfecto para ello, pues una sociedad poco o nada informada sobre lo que realmente pasa, no lo que nos quieren hacer creer que pasa, es terriblemente fácil de manipular.

Además, son los medios los que mantienen el inconsciente colectivo lleno de miedo, preocupación, impotencia, terribles problemas por todo el mundo, etc. Si poco más de una docena de empresas determinan lo que comemos o bebemos, son solo seis las principales que marcan lo que vemos y oímos. En el blog *The Economic Collapse*[15] se ha publicado un estudio sobre el poder de estas macrocorporaciones de noticias y audiovisuales para decidir qué se publica en los periódicos y qué dicen la radio y la televisión:

> Si bien algunas personas podrían objetar que los ojos son la puerta del alma, es evidente que, al menos, los ojos son la puerta de la mente, conectados a una red neuronal a través de pulsos luminosos. "Quien controla tus pantallas programa tu mente", decía Tim Leary. Al parecer, en Estados Unidos son seis las compañías que controlan las pantallas, y apenas unas pocas más en el mundo entero.

---

15 http://theeconomiccollapseblog.com/archives/who-owns-the-media-the-6-monolithic-corporations-that-control-almost-everything-we-watch-hear-and-read

En la mayoría de los países vemos que los medios están conformados por oligopolios que se protegen de proyectos independientes que quieran conseguir su trozo del pastel. Si a esto añadimos que en gran parte del mundo se ven ampliamente las producciones realizadas por medios estadounidenses, entendemos que vivimos en la uniformediatización del mensaje comunicativo. La diversidad y la multiopción son generalmente una ilusión.

En 1983 había cincuenta compañías que controlaban la mayoría de los medios en Estados Unidos. Según el Media Reform Information, hoy en día existen solamente seis grandes conglomerados que detentan de forma excluyente la potestad mediática. La mayoría de las personas no se detienen a pensar de dónde provienen los mensajes que consumen y qué intereses sirven. En Estados Unidos el ciudadano promedio ve ciento cincuenta y tres horas mensuales de televisión, alrededor de cinco horas al día fundidos en un opio electrónico que emana rayos catódicos y meméticos de programación.

Las seis empresas que controlan los medios de Estados Unidos son Time Warner, Walt Disney, Viacom, News Corp. (de Rupert Murdoch, que controla buena parte de los medios en Australia y en Inglaterra también), CBS y NBC Universal (General Electric). Las áreas que no controlan totalmente, como la radio e internet, ahora están siendo acaparadas también por cuasimonopolios como Clear Channel, que tiene más de cien estaciones de radio en Estados Unidos, o Google, Microsoft y Facebook, que acaparan buena parte de la red.

Es impresionante ver la lista de quién controla todos los canales que conocemos, como casi todo lo que vemos proviene de una misma fuente, la cual no está precisamente interesada en estimular la mente de las personas para que piensen por sí mismas, y ni siquiera en generar productos de calidad: ellos mismos son la competencia.

Sus intereses tienen más que ver con proteger a sus *cofraters* corporativos que pagan enormes cantidades por anunciarse en sus canales, y sobre todo podríamos decir que su interés principal es mantener las condiciones en todo el mundo que les permiten estar en la cima de la pirámide emitiendo señales con su gran ojo electrónico, produciendo una narrativa que llaman realidad:

**Time Warner**

Home Box Office (HBO)
Time Inc.
Turner Broadcasting System, Inc.
Warner Bros. Entertainment Inc.
CW Network (partial ownership)
TMZ
New Line Cinema
Time Warner Cable
Cinemax
Cartoon Network
TBS
TNT
America Online
MapQuest
Moviefone
Castle Rock
Sports Illustrated
Fortune
Marie Claire
People Magazine

**Walt Disney**

ABC Television Network
Disney Publishing
ESPN Inc.
Disney Channel
SOAPnet
A&E
Lifetime
Buena Vista Home Entertainment
Buena Vista Theatrical Productions
Buena Vista Records
Disney Records
Hollywood Records
Miramax Films
Touchstone Pictures
Walt Disney Pictures
Pixar Animation Studios
Buena Vista Games
Hyperion Books

**Viacom**

Paramount Pictures
Paramount Home Entertainment
Black Entertainment Television (BET)
Comedy Central
Country Music

Television (CMT)
Logo
MTV
MTV Canada
MTV2
Nick Magazine
Nick at Nite
Nick Jr.
Nickelodeon
Noggin
Spike TV

**News Corporation**

Dow Jones & Company, Inc.
Fox Television Stations
The New York Post
Fox Searchlight Pictures
Beliefnet
Fox Business Network
Fox Kids Europe
Fox News Channel
Fox Sports Net
Fox Television Network
FX
My Network TV
MySpace
News Limited News
Phoenix InfoNews Channel
Phoenix Movies Channel
Sky PerfecTV
Speed Channel
STAR TV India
STAR TV Taiwan
STAR World
Times Higher Education Supplement Magazine
Times Literary Supplement Magazine
Times of London
20th Century Fox Home Entertainment
20th Century Fox International
20th Century Fox Studios
20th Century Fox Television
BSkyB
DIRECTV
The Wall Street Journal
Fox Broadcasting Company
Fox Interactive Media
FOXTEL
HarperCollins Publishers
The National Geographic Channel
National Rugby League
News Interactive
News Outdoor
Radio Veronica
ReganBooks
Sky Italia

Sky Radio Denmark
Sky Radio Germany
Sky Radio
Netherlands
STAR
Zondervan

**CBS Corporation**

CBS News
CBS Sports
CBS Television
Network
CNET
Showtime
TV.com
CBS Radio Inc.
CBS Consumer
Products
CBS Outdoor
CW Network
Infinity Broadcasting
Simon & Schuster
(Pocket Books,
Scribner)
Westwood One
Radio Network

**NBC Universal**

Bravo
CNBC
NBC News
MSNBC
NBC Sports
NBC Television
Network
Oxygen
SciFi Magazine
Syfy (Sci Fi Channel)
Telemundo
USA Network
Weather Channel
Focus Features
NBC Universal
Television
Distribution
NBC Universal
Television Studio
Paxson
Communications
(partial ownership)
Trio
Universal Parks &
Resorts

Universal Pictures
Universal Studio Home Video

Así, al menos dieciséis grupos (las principales diez empresas de alimentos y las seis de los grandes medios de comunicación, cuando no están mezcladas y son las mismas) tienen un poder terrible sobre gran parte de la humanidad. Su forma de actuar a través de los medios está elaborada muy detalladamente, con estrategias y técnicas estudiadas por los grupos de los niveles superiores de la pirámide de control. Para ello se valen de estrategias de manipulación mental. El lingüista Noam Chomsky elaboró una lista de las más usadas:

- **La estrategia de la distracción.** El elemento primordial del control social es la estrategia de la distracción, que consiste en desviar la atención del público de los problemas importantes y de los cambios decididos por las élites políticas y económicas, mediante la técnica del diluvio o inundación con continuas distracciones e informaciones insignificantes. La estrategia de la distracción es igualmente indispensable para impedir al público interesarse por los conocimientos esenciales en las áreas de la ciencia, la economía, la psicología, la neurobiología y la cibernética. "Mantener la atención del público distraída, lejos de los verdaderos problemas sociales, cautivada por temas sin importancia real. Mantener al público ocupado, ocupado, ocupado, sin ningún tiempo para pensar; de vuelta a la granja como los otros animales."

- **Crear problemas y después ofrecer soluciones.** Este método también es llamado "problema-reacción-solución", como vimos al hablar de las operaciones de bandera falsa. Se crea un problema, una situación prevista para causar cierta reacción en el público, a fin de que sea el detonante de las medidas que se desea hacer aceptar. Por ejemplo: dejar que se desenvuelva o se intensifique la violencia urbana u organizar atentados sangrientos, a fin de que la gente demande leyes de seguridad y políticas en perjuicio de la libertad. O crear una crisis económica para hacer aceptar como un mal necesario el retroceso de los derechos sociales y el desmantelamiento de los servicios públicos.

- **La estrategia de la gradualidad.** Para que se acepte una medida inconveniente, basta aplicarla gradualmente, con cuentagotas, durante años. De esa manera se impusieron condiciones socioeconómicas radicalmente nuevas (las del neoliberalismo) durante las décadas de 1980 y 1990: Estado mínimo, privatizaciones, precariedad, flexibilidad, desempleo en masa, salarios que ya no aseguran ingresos decentes, cambios que habrían provocado una revolución si se hubiesen aplicado de una sola vez.

- **La estrategia de diferir.** Otra manera de hacer aceptar una decisión impopular consiste en presentarla como "dolorosa y necesaria", y obtener la aceptación de la opinión pública para su aplicación futura. Es más fácil aceptar un sacrificio futuro que un sacrificio inmediato, porque la masa siempre tiende a esperar ingenuamente que todo mejore mañana y así evitar el sacrificio exigido. Esto da más tiempo a la gente para acostumbrarse a la idea del cambio y aceptarla con resignación cuando llegue el momento.

- **Dirigirse a la gente como a criaturas de corta edad.** La mayoría de la publicidad dirigida al gran público utiliza discursos, argumentos, personajes y entonación particularmente infantiles, muchas veces próximos a la debilidad, como si el espectador fuese una criatura de corta edad o un deficiente mental. Cuanto más se intente engañar al espectador, más se tiende a adoptar un tono infantil. ¿Por qué? Si uno se dirige a una persona como si ella tuviese doce años o menos, el poder de la sugestión probablemente la incline a responder o reaccionar sin sentido crítico, como haría un niño.

- **Utilizar el aspecto emocional mucho más que la reflexión.** Hacer uso del aspecto emocional es una técnica clásica para causar un cortocircuito en el análisis racional, y finalmente en el sentido crítico de los individuos. Por otra parte, el registro emocional permite abrir la puerta del inconsciente para implantar o injertar ideas, deseos, miedos y compulsiones, o inducir comportamientos deseados por el sistema de control.

- **Mantener a la población en la ignorancia y la mediocridad.** Impedir que la gente sea capaz de comprender las tecnologías y los métodos utilizados para controlarla y esclavizarla. "La calidad de la educación dada a las clases sociales inferiores debe ser la más pobre y mediocre posible, de forma que la distancia de la ignorancia que planea entre las clases inferiores y las clases sociales superiores sea y permanezca imposible de alcanzar para las clases inferiores."

- **Estimular a la población para que sea complaciente con la mediocridad.** Promover entre la gente la idea de que está de moda ser estúpido, vulgar e inculto...

- **Conocer a los individuos mejor de lo que ellos mismos se conocen.** En el transcurso de los últimos cincuenta años, los avances acelerados de la ciencia han generado una creciente brecha entre los conocimientos de la población y los poseídos y utilizados por las élites dominantes. Gracias a la biología, la neurobiología y la psicología aplicada, el sistema disfruta de un conocimiento avanzado del ser humano, tanto en el plano físico como en el psicológico. El sistema ha conseguido conocer al individuo común mejor de lo que él se conoce a sí mismo. Esto significa que el sistema controla a los individuos mejor de lo que estos se autocontrolan.

El control actual de la mente es tanto tecnológico como psicológico. Los medios de comunicación lo saben bien. De hecho, si prestáis atención al tipo de programas que dan en las cadenas principales de vuestro país, os daréis cuenta de cuántas de estas estrategias se ponen en marcha cuando os presentan las noticias, los concursos, los programas de entretenimiento o los *reality-shows*. Es cierto que, si se sabe que se está siendo manipulado, los efectos de este control se reducen o eliminan, sobre todo en el caso de la publicidad y la propaganda. Tenemos un mecanismo de protección en el subconsciente que hace que, una vez que conoces "el truco" de lo que se cuece detrás de ese anuncio o programa, deje de afectarte. Has construido tu propia pantalla psíquica de protección.

De todas formas, hemos de tener en cuenta que no solo las noticias de cada día intentan vendernos la visión del mundo que interesa a los que lo dirigen, sino que el control de la masa social se lleva a cabo simultáneamente por otros muchos canales, por ejemplo, la educación escolar.

Esta es la forma más obvia de programación y condicionamiento mental, ya que se nos enseña lo que interesa que aprendamos, y poco más. Por ejemplo, cuando se enseña la historia de la segunda guerra mundial no se transmite lo que pasó de verdad, sino lo que la Fundación Rockefeller escribió sobre ella, puesto que pagó decenas de miles de dólares para que se escribiera la nueva historia oficial de la contienda. La fantasía de cualquier sistema de control siempre ha sido "educar" a los niños, que son naturalmente impresionables, por lo que el control de la educación se ha convertido en un objetivo central de los gobiernos a lo largo de la historia.

Otra forma obvia de control por parte de los medios que ya hemos mencionado es la publicidad. El austroamericano Edward Bernays ha sido citado como el inventor de la cultura consumista diseñada, principalmente, para torpedear la autoimagen (o la falta de ella) de la gente, con el fin de convertir un deseo en una necesidad. Esto se aplicó inicialmente en estrategias de márquetin de productos como los cigarros. Sin embargo, Bernays también señaló en su libro de 1928, *Propaganda*, que "la propaganda es el brazo ejecutivo del gobierno invisible". Esto se puede ver más claramente en el Estado policial moderno y en la cultura ciudadana fomentada por una pseudopatriótica guerra contra el terrorismo. La consolidación cada vez mayor de los medios de comunicación ha permitido que la estructura corporativa se fusione con el gobierno. Ahora aplican el concepto del *product-placement* en la propaganda. Los medios de comunicación, impresos, películas, televisiones y radios trabajan para integrar un mensaje global que aparenta ser verídico, debido a la cantidad de fuentes que lo sustentan simultáneamente. Cuando uno entra en sintonía con la identificación del mensaje principal, lo ve replicado por todas partes como si fuera un bombardeo. Esto sin entrar en el tema de los mensajes subliminales.

Todo esto, claro, a través de los aparatos de televisión y de los ordenadores. La "programación" televisiva está diseñada para nuestro consumo con el fin de adormecernos, por lo que se ha convertido en un arma psicosocial. Existen pruebas de parpadeo (*flickering*) que demuestran que las ondas alfa en el cerebro se pueden alterar, produciendo un tipo de hipnosis, lo que, sumado a la última revelación de que las luces pueden transmitir datos codificados al titilar más rápido de lo que pueden ver los ojos, nos convierte en marionetas inconscientes de lo que se nos transmite por la televisión, un poco al hilo de todo lo que he explicado en la segunda parte del libro sobre la manipulación de la mente humana y su potencial creador. La tasa de parpadeo o *flickering* de los ordenadores es menor, pero, a través de los videojuegos, las redes sociales y una estructura que sobrecarga el cerebro de información, la rapidez de la comunicación moderna induce a un estado del desorden de déficit de atención (ADD).

Y ya puestos, estoy seguro de que os podéis imaginar que los deportes, la política o la religión entran de lleno en el campo de la manipulación de las masas. Algunos podrían ofenderse al ver a la religión, o inclusive a la política, situada al lado de los deportes como un método de control mental. Pero el tema central es el mismo: divide y vencerás. Las técnicas son muy simples: genera un cortocircuito en la tendencia natural de la gente a cooperar para su supervivencia y la enseña a formar equipos empeñados en dominar y ganar. Los deportes siempre han tenido un papel clave como una distracción que obedece a tendencias tribales y las dirige a eventos sin importancia, que en la sociedad moderna han alcanzado proporciones absurdas. El discurso político está estructurado en un paradigma de izquierda-derecha de control de la oposición, mientras que la religión ha sido el telón de fondo de casi todas las guerras a lo largo de la historia.

El sistema de control ha concertado un esfuerzo para gestionar y predecir el comportamiento humano, de tal forma que los especialistas en ciencias sociales y de la élite dictatorial puedan controlar a las masas y protegerse de las consecuencias de una humanidad libre completamente despierta. Solo si tomamos conciencia de sus intentos de ponernos a dormir o hipnotizarnos, y nos mantenemos alertas, tendremos una oportunidad de preservar nuestro libre albedrío.

## Objetivo 4. Debilitar física y energéticamente a la población para hacerla más susceptible y manipulable en el proceso de creación de su propia realidad

¿Vamos atando cabos? Por un lado, se trata de mantener nuestras mentes sometidas a creencias externas a través de cualquier tipo de religión, desde la más antigua hasta la "nueva era". Por otro lado, se trata de controlar, monitorizar y restringir al máximo nuestras libertades, movimientos y acciones. Imponer todo esto requiere una población atontada, así que hay que alimentarla con aquello que, más que dar salud, aletarga y enferma, y luego debe evitarse que aprenda y se eduque más allá de lo que realmente interesa.

Esto no es todo, aún hay muchas otras formas de debilitar el sistema físico y energético de la población. Se presentan como grandes inventos y avances tecnológicos, que, es cierto, hacen la vida más fácil, son magníficos y ya no podemos pasar sin ellos, pero cierto es también que son muy dañinos.

Creo que hay ya bastantes personas que se dan cuenta de que todas las ondas y campos energéticos de los que estamos rodeados influyen terriblemente en nuestro estado de ánimo. Acabamos de ver precisamente lo que nos sucede cuando pasamos horas delante de la televisión o con los videojuegos. De forma genérica, podemos incluir todo tipo de emisiones electromagnéticas, desde el *wi-fi* de casa hasta las antenas de radio del edificio de enfrente, pasando por "ondas" más globales tales como la atmósfera de una ciudad. No es solo que puedan influir en nuestro estado de ánimo, sino que, poco a poco, con efecto acumulativo, generan disfunciones energéticas que pueden manifestarse como enfermedades, en muchos casos tumores o cánceres.

La mayor parte de estas radiaciones, al menos las más dañinas, son ondas de muy baja frecuencia (ELF), que alteran la química de nuestro cuerpo, del cerebro, produciendo cambios en el estado de ánimo de una persona. Afectan principalmente a las moléculas llamadas neuropéptidos, similares a proteínas, que se originan en las conexiones sinápticas del cerebro. Estas moléculas tienen diferentes funciones, estimulan o bloquean ciertas respuestas físicas, de forma que pueden alterar el sistema nervioso y con ello la forma en que nos sentimos.

Según el grado de exposición a radiaciones, y el tipo de radiaciones del que se trate, nuestro estado de ánimo, y de salud, puede fluctuar enormemente a lo largo del tiempo.

En casos normales, si los efectos son muy marcados, uno se da cuenta de que, al alejarse del campo electromagnético que lo está machacando, de repente se siente mejor, sobre todo si se vive en grandes ciudades con torres de alta tensión, móviles y otras ondas alrededor. Enseguida la química cerebral recupera su armonía natural y deja de generar estados emocionales de tristeza, cansancio, depresión y melancolía. El problema es que nos hemos acostumbrado a vivir en esta sopa electromagnética, y no podemos hacer nada para evitarlo, porque no podemos irnos todos a vivir al campo o en medio del bosque. En consecuencia, integramos estos problemas en nuestra forma de vida y no tenemos más remedio que vivir con la influencia de los campos energéticos que nos rodean.

A largo plazo, el efecto de esta radiación, del tipo que sea, va minando poco a poco nuestro sistema físico. En pocos casos llegará a ser un problema serio. Muchos llevamos años viviendo en una gran ciudad, usando el móvil, el ordenador, viendo la televisión muchas horas a la semana, con un DVD en el asiento del coche que nos apunta directamente a la cabeza para que los peques vean dibujos en él, etc. Y todo eso, como he dicho, nos facilita la vida, nos la hace más cómoda. Pero sirve a otro propósito: evitar una salud física perfecta a nivel químico, mental y del sistema nervioso, lo cual favorece una disminución de la atención frente a las manipulaciones y una mayor susceptibilidad a los trucos de control subliminal. Yo no podría estar escribiendo este libro sin mi ordenador, pero soy consciente de que la pantalla y el tenerlo tan cerca está influenciando mi campo electromagnético de forma negativa. ¿Quizá podrían diseñarse las mismas funcionalidades sin los efectos secundarios?

## Objetivo 5. Control absoluto del sistema económico y financiero

Bueno, el tema se está poniendo cada vez más deprimente, pues parece que no hay forma de escapar de esto. Y eso que solo hemos visto unas pocas áreas de nuestra sociedad. ¿Qué tal si hablamos de la economía en general? ¿Sabíais que solo mil trescientas dieciocho corporaciones controlan TODA la economía del planeta? Os aseguro que no estoy inventando nada. Todos estos datos están perfectamente a la vista de cualquiera; aparecen en medios de comunicación "normales", y simplemente atando cabos uno llega a conectar todos los puntos como estamos haciendo nosotros.

El siguiente artículo aparecido en la revista *Newscientist*[16] resulta esclarecedor al respecto:

> Mientras van aumentando las protestas de la población mundial contra el excesivo poder financiero, la ciencia confirma que los más oscuros temores de los ciudadanos tienen una base empírica. Un análisis que combinó matemáticas y datos, realizado por científicos de la ETH de Zúrich, ha revelado que existe un conjunto de mil trescientas dieciocho corporaciones —casi todas instituciones financieras— sobre cuarenta y tres mil corporaciones transnacionales (CT) analizadas, que dominan la economía global, gracias a sus fuertes interrelaciones. Esta organización de las corporaciones supone un grave riesgo para la red económica general, cuya inestabilidad fomenta. La solución, según los expertos: controlar los vínculos entre los más poderosos a través de normas de regulación internacionales.
>
> La investigación, llevada a cabo por los teóricos de sistemas complejos de la ETH, Stefania Vitali, James B. Glattfelder y Stefano Battiston, es la primera que va más allá de la ideología para identificar empíricamente la red mundial del poder económico. Combinando matemáticas ya utilizadas para modelar sistemas naturales con datos integrales de las corporaciones, los científicos elaboraron un mapa de los dominios de las corporaciones transnacionales de todo el mundo.
>
> Según James Glattfelder, uno de los autores del estudio: "La realidad es tan compleja que debíamos movernos más allá de los dogmas y de las teorías

---

[16] http://www.newscientist.com/article/mg21228354.500-revealed--the-capitalist-network-that-runs-the-world.html, 24 de octubre de 2011, por Andy Coghlan y Debora MacKenzie.

conspirativas del mercado libre, para generar un análisis basado en la realidad".

Estudios previos habían constatado que unas pocas empresas manipulaban una gran parte de la economía mundial, pero estos habían incluido solo un número limitado de corporaciones y habían omitido posesiones indirectas (de acciones o participaciones en otras organizaciones), por lo que no pudieron establecer cómo afectaba la red de corporaciones a la economía global, por ejemplo, a su grado de estabilidad.

Lo que ha hecho el equipo de investigadores de Zúrich es utilizar la Orbis 2007, una base de datos de treinta y siete millones de organizaciones e inversores de todo el mundo, y extraer de ella las principales 43.060 corporaciones transnacionales y sus posesiones vinculadas.

A partir de esta información, los científicos elaboraron un modelo sobre el control de unas corporaciones sobre otras, a través de las redes de compra de acciones. De esta forma, se generó un mapa de la estructura del poder económico en el mundo.

El resultado reveló que existe un núcleo de 1.318 corporaciones que interconectan las posesiones generales en todo el mundo. Cada una de estas organizaciones tiene lazos con otras dos o más corporaciones, aunque de media están conectadas con un total de veinte. Además, aunque estas 1.318 organizaciones reúnen el veinte por ciento de los ingresos operacionales globales, en realidad poseen colectivamente, a través de sus participaciones, la mayoría de las acciones y fábricas del mundo —la economía "real"—, con las que acumulan más de un sesenta por ciento de los ingresos globales.

Profundizando más en la red de posesiones mundial, los investigadores constataron, además, que existe una "superentidad", formada por solo **ciento cuarenta y siete**

**corporaciones** muy cohesionadas entre sí. Las posesiones de cada una de ellas son sostenidas por el resto de los miembros de esta superentidad, que controla el cuarenta por ciento de la riqueza total de la red. Glattfelder señala que "en efecto, menos del uno por ciento de las corporaciones del mundo pueden controlar el cuarenta por ciento de toda la red económica". La mayoría de estas corporaciones son instituciones financieras. Entre las veinte primeras están Barclays Bank, J. P. Morgan Chase & Co. y el Grupo Goldman Sachs. Aquí tenéis las primeras de la lista:

1. Barclays PLC
2. Capital Group Companies Inc.
3. FMR Corporation
4. AXA
5. State Street Corporation
6. J. P. Morgan Chase & Co.
7. Legal & General Group PLC
8. Vanguard Group Inc.
9. UBS AG
10. Merrill Lynch & Co. Inc.
11. Wellington Management Co. LLP
12. Deutsche Bank AG
13. Franklin Resources Inc.
14. Credit Suisse Group
15. Walton Enterprises LLC
16. Bank of New York Mellon Corp.
17. Natixis
18. Goldman Sachs Group Inc.
19. T. Rowe Price Group Inc.
20. Legg Mason Inc.
21. Morgan Stanley
22. Mitsubishi UFJ Financial Group Inc.
23. Northern Trust Corporation
24. Société Générale
25. Bank of America Corporation
26. Lloyds TSB Group PLC
27. Invesco PLC
28. Allianz SE 29 TIAA

29. Old Mutual Public Limited Company
30. Aviva PLC
31. Schroders PLC
32. Dodge & Cox
33. Lehman Brothers Holdings Inc.
34. Sun Life Financial Inc.
35. Standard Life PLC
36. CNCE
37. Nomura Holdings Inc.
38. The Depository Trust Company
39. Massachusetts Mutual Life Insurance
40. ING Groep NV
41. Brandes Investment Partners LP
42. Unicredito Italiano SPA
43. Deposit Insurance Corporation of Japan
44. Vereniging Aegon
45. BNP Paribas
46. Affiliated Managers Group Inc.
47. Resona Holdings Inc.
48. Capital Group International Inc.
49. China Petrochemical Group Company

Un aspecto esencial del mapa del monopolio económico del mundo es que muestra que este tipo de redes nucleares son inestables: "Si una de las empresas que la componen tiene problemas, estos se propagan", explica Glattfelder. El colapso financiero de 2008 ha demostrado esta inestabilidad.

Así que ciento cuarenta y siete empresas dirigen la economía mundial, unas diez la alimentación y seis los medios de comunicación. Esto se reducirá aún más, puesto que muchas empresas de estos tres sectores están interconectadas o forman parte de grupos mayores. Qué interesante debe de ser estar en el consejo de administración de estas superentidades y poder escuchar cómo una sola decisión cambia y trastoca el mundo entero.

Ya vemos cómo está estructurada la sociedad, principalmente en el nivel 6 de nuestra tabla, el de las grandes empresas y corporaciones. En este nivel no hay nada que no pertenezca a un selecto grupo de personas. Estas controlan un reducido número de empresas y, gracias a sus lazos con otras muchas compañías, dominan casi toda la economía del planeta. Aunque estas empresas se mueven por motivos puramente económicos, de poder, de reparto del pastel, de ambición, etc., solo unos pocos en los círculos internos de este nivel se dan cuenta de que quien dicta todos los movimientos y "soluciones" que se traspasan a la gran masa de la población se encuentran en un nivel superior.

## En resumen: ¿por qué no vemos esta otra realidad?

Entender este mundo que nos rodea pasa por romper multitud de ideas preconcebidas y multitud de creencias sobre la realidad del planeta en el que vivimos, donde, a nivel físico, económico, financiero, educativo y social estamos limitados y restringidos prácticamente al cien por cien por unas estructuras claramente instauradas para suprimir nuestro libre albedrío, poder, voluntad y deseos, cuando estos van en contra de aquellos que andan en la parte más alta de la pirámide de control del planeta.

Esto no es una simple teoría. Hay miles de pruebas, de informaciones, de informes, de investigaciones, de consecuencias, para darnos cuenta de que todo lo anterior no es la fantasía de un grupo de personas interesadas en conspiraciones y en *aliens*. Sin embargo, esto no es suficiente, parece ser, y cuesta entender por qué las personas no son más conscientes de este tipo de informaciones. La respuesta, posiblemente, está más que perfectamente explicada en un artículo del periodista Don Harkins, publicado en el año 2001[17], y titulado: *"Slavery and the eight veils"* ("La esclavitud y los Ocho Velos"):

> A lo largo de los últimos años he desarrollado y descartado diferentes teorías en un intento de explicar cómo es posible que la mayoría de personas no puedan ver la verdad, incluso cuando la tienen delante de sus narices. Aquellos de nosotros que podemos perfectamente ver la "conspiración" hemos participado en innumerables conversaciones para compartir la frustración de constatar la imposibilidad para la mayoría de personas de comprender los tremendamente bien argumentados, demostrados y probados argumentos que usamos para describir y explicar el proceso de la explotación y la esclavitud global a la que estamos sometidos. La explicación más común a la que llegamos es que la mayoría de la gente, simplemente, no quieren ver lo que realmente sucede en el mundo.
>
> Personas extremadamente negativas, que conforman la élite del poder en el planeta han cultivado, muy inteligentemente, un prado de hierba tan verde y frondoso que poca gente, raramente, se molesta en mirar con detenimiento, el tiempo suficiente, para darse cuenta de que no es más que un campo de hierba artificial. Las mismas personas que no son capaces de ver el sistema de esclavitud no declarada, en el que viven, tienen una tendencia a tachar de "teóricos de la conspiración" insanos a aquellos de nosotros que podemos no solo ver la hierba, sino la granja y el castillo de los señores feudales que controlan todo desde lejos.
>
> Y finalmente he entendido el porqué.

---

[17] http://proliberty.com/observer/20011212.htm

No se trata de que aquellos que no se dan cuenta de que su libertad se está desvaneciendo bajo el liderazgo de esta élite "no quieran verlo" –es que simplemente no pueden ver lo que les sucede porque poseen, poseemos, una serie de velos sin penetrar que bloquea su visión real del mundo.

Todas las experiencias y sensaciones externas pasan por un proceso de filtrado en el ser humano. Y de esos filtros, tenemos al menos ocho de ellos.

- **Antes del primer velo:** Somos casi siete billones de personas en el planeta. La mayoría viven y fallecen sin haber contemplado seriamente, jamás, nada que no tenga que ver con aquello que les mantiene vivos y les da la posibilidad de gestionar un poco cada día sus vidas. Casi el noventa por ciento de la humanidad vivirá y morirá sin haber traspasado nunca el primer velo que les separa de la percepción real del mundo.
- **El primer velo:** Poco más del diez por ciento restante son personas que han conseguido romper ese primer velo, y se encuentran con el mundo de la política. Son personas que intentan ser activas, tomar decisiones, participar en las reglas del juego para intentar mejorarlo. A pesar de eso, las opiniones de estas personas están marcadas por lo que dictan nuestros gobiernos, según sus tendencias partidistas, por la opinión de los expertos, y por otras voces con autoridad. De este diez por ciento restante, el noventa por ciento fallecerá sin haber conseguido desvelar el segundo velo.
- **El segundo velo:** El diez por ciento de los que rompen el primer velo y penetran en el segundo serán capaces de explorar las mentiras de la historia, la relación entre el hombre, sus formas de gobierno y el significado de las leyes [como medida de control]. Otro noventa por ciento de estos vivirán y fallecerán sin haber llegado a pasar el tercer velo.
- **El tercer velo:** El diez por ciento de los que traspasan el tercer velo serán capaces de percibir que los recursos del planeta, incluidos la gente, están controlados

por un grupo de personas y familias muy poderosas, cuyas posesiones, manipulaciones y extorsiones, han servido para fundar la economía global actual basada en la deuda. El noventa por ciento de aquellos que rompan el tercer velo no llegarán nunca a cruzar el cuarto.

- **El cuarto velo:** Los pocos que van quedando, aquellos que llegan a romper el cuarto velo, descubrirán el mundo de los Illuminati, de la masonería, de las sociedades secretas. Estas sociedades usan símbolos y celebran ceremonias que perpetúan la transmisión de conocimiento arcano que es usado para mantener a la gente ordinaria en una esclavitud política, económica y espiritual, por los linajes y familias más antiguas del planeta. El noventa por ciento de los que penetran el cuarto velo, no llegarán nunca a atravesar el quinto.
- **El quinto velo:** El diez por ciento de los que llegan aquí, aprenderán que estas sociedades secretas y familias poderosas están tan avanzadas tecnológicamente y tienen tantos conocimientos a su disposición, que cosas como viajar en el tiempo y las comunicaciones interestelares no suponen ningún problema para ellos, y mucho menos, controlar las acciones de la gente común a través de estos medios. Sus miembros tienen la capacidad de manipular a las masas con la misma facilidad con la que nosotros mandamos a nuestros hijos a la cama. El noventa por ciento de aquellos que transponen el quinto velo, no serán capaces de romper el sexto.
- **El sexto velo:** Aquellos que rompen el sexto velo se encontrarán en un mundo de alienígenas, dragones y reptoides, seres que parecen sacados de cuentos de ficción y literatura infantil, y que son la fuerza real detrás de las sociedades secretas y los que dictan las órdenes a las mismas. El noventa por ciento de este grupo no será capaz de penetrar el séptimo velo.
- **El séptimo velo:** No sé lo que hay detrás del séptimo velo. No lo he podido cruzar. Pero creo que es la percepción que tiene el alma de la persona, libre de todo filtro mental, que ha evolucionado hacia un estado tal que

ve la realidad de forma muy diferente a los demás, una especie de Gandhi iluminado que se pasea por el mundo despertando a todos a su alrededor sin restricción alguna.

¿Y el octavo velo? Romper el octavo velo probablemente significa ver la revelación de Dios y la energía pura detrás de la fuerza viva que impregna todas las cosas. Y si mis números son más o menos correctos, no llega a unas 60.000 personas en el planeta aquellas que a lo largo de su vida serán capaces de penetrar hasta el sexto velo y ya no digamos entrar en el séptimo o el octavo.

La ironía aquí es increíble: aquellos que ven la vida detrás del primer velo al quinto no tienen ninguna otra opción que percibir a los que han roto el velo número seis como locos, insanos, y paranoicos. Con cada filtro roto, exponencialmente una gran cantidad de gente que empieza a ver la realidad "real" es declarada paranoica, pues pasan al otro lado de la barrera de la forma en la que ven el mundo. Y para añadir más a esta ironía, cuanto más intenta alguien que ha conseguido eliminar el sexto velo, explicar lo que ve a aquellos que no han llegado a eliminar ese filtro de sus vidas, más insano y loco aparece ante ellos.

### El enemigo, el Estado y los gobiernos

Detrás de los dos primeros velos se encuentra la mayor parte de la población del planeta. Son herramientas del gobierno y del sistema de control, votantes, cuya ignorancia justifica las acciones de los políticos, que envían a los del primer velo a luchar en sus guerras y contiendas.

Los que rompen los velos tercero, cuarto, quinto y sexto son herramientas de cada vez menos utilidad para el sistema, por su habilidad decreciente para ser usadas para consolidar el poder y la riqueza de muchos, en las manos de unos pocos en la élite del poder. Es algo normal ver cómo estas personas sacrifican parte de sus relaciones con amigos y familia, sus carreras profesionales y sus libertades personales a medida que rompen más y más velos, dejando atrás todo lo que deja de resonar con ellos.

Creo que el artículo no podría ser más explícito. Quien escribe ha roto muchos velos en los últimos años, algunos de golpe. El sexto, el más reciente, a raíz de mi trabajo haciendo terapia energética y tener que lidiar con entidades no corpóreas, y a raíz de encontrar más y más información sobre el control no "humano", pero aún es un tema del que cuesta hablar abiertamente. En todo caso, si ya hemos comprendido aunque sea parcialmente la situación en la que nos encontramos, ahora, por fin, vamos a poder empezar a trabajar y aprender cómo desmontarla.

Es hora de ir a buscar soluciones.

# Cuarta parte: el futuro no está escrito en piedra

Entramos en la última parte. Vaya panorama que se nos presenta con todo lo visto hasta ahora, ¿verdad? Afortunadamente, el futuro no está escrito en piedra. Todo lo que tenemos por delante puede ser modificado o, mejor dicho, puesto que existen diferentes futuros probables, podemos escoger uno mejor que el que se presentaría si las cosas siguieran por el camino que van. Pero como dijimos antes, este planeta es una escuela, y la vida no es más que una experiencia y un aprendizaje.

Y es que como se me dijo una vez por aquellos que nos asisten desde los planos invisibles:

> *"Todos los seres que estamos encarnando en la Tierra en estos momentos o en otros, sabemos cómo es el "juego" en el que nos metemos. Está diseñado de esa forma para que el tablero en el cual experimentamos la vida sea lo más eficiente posible. Lo que percibís como control, negatividad, crisis, problemas, son desde nuestro punto de vista oportunidades. A medida que avanza el tiempo lineal y se acercan posibilidades de "graduación" requerimos que el nivel de dificultad, para muchos, se incremente. Eso se manifiesta en realidades, para muchos, más duras. La parte negativa del juego la interpretan en otros papeles otras entidades como nosotros, que evolucionan por otra polaridad, y nos hacemos un favor mutuo. Su aprendizaje está basado en lo que llamamos un camino negativo, el nuestro en el que llamamos un camino positivo, y nos necesitamos los unos a los otros para conseguir nuestros aprendizajes. Desde nuestro punto de vista todo es un escenario, increíblemente complicado, multinivel y multidimensional, en los cuales obtenemos todo lo que necesitamos para poder trascender este ciclo.*

*Es perfectamente válido tratar de cambiar el sistema, dejamos que muchas de nuestras encarnaciones se conviertan en fieros luchadores contra lo que va "mal", pero seguimos permitiendo que las encarnaciones de los otros Yo Superiores que cumplen con el rol negativo hagan lo mismo. No se puede permitir que cambien las reglas del juego, pues son ellas precisamente las que nos hacen evolucionar con extrema rapidez.*

*Precisamente el hecho de que el mundo en el que encarnamos esté tan "controlado" por poderes mediáticos, financieros, políticos, secretos, e incluso extraterrestres es lo que permite que podamos parametrizar nuestras encarnaciones con lecciones sobre solidaridad, compañerismo, ayuda incondicional, tolerancia, amor, comprensión, serenidad, paciencia, empatía, etc. De lo contrario sería imposible imponer este tipo de aprendizaje si no hubiera piezas en el tablero, a todos los niveles, que permitieran crear las circunstancias para que esas lecciones y aprendizajes tuvieran lugar.*

*Aun así, os dejamos plena libertad para crear la realidad que deseáis. El tablero de juego tiene unas normas, pero quien no desea verse afectado por ellas no lo es y ninguna manipulación del tipo que sea llega a influirle o a crear disrupciones en su existencia si esa encarnación nuestra es capaz de trascenderlas tras haber comprendido su finalidad. Todo depende del nivel de conciencia y comprensión de la realidad que desarrolle cada persona encarnada con o sin nuestro "input".*

*No se pueden cambiar las reglas, destrozar el sistema o instaurar un sistema idílico o utópico. Eso ya lo teníamos en muchos de nuestros lugares de origen, y esa fue la causa de que lo abandonáramos, pues la evolución era muy lenta. Se acercan tiempos de graduación y debemos incrementar el ritmo para adquirir las últimas experiencias, por ende, el tablero de juego en el cual encarnamos debe proporcionárnoslas. Sabemos que desde "ahí abajo" no siempre se entiende, pero es algo que todos los Yo Superiores sabemos, tanto los "buenos", como los "malos". "*

Así que el mensaje está claro, y básicamente todo depende de nosotros. ¿Qué podemos hacer? Podemos hacer mucho. A partir de ahora solo nos vamos a centrar en eso. El escenario está claro, ¿cuál es el camino que nos lleva al siguiente nivel de juego?

# Líneas temporales y el camino evolutivo de la humanidad

Todos sabéis que, desde hace décadas, hemos estado hablando y oyendo que la raza humana está en un cambio de nivel evolutivo. Como huyo de ser dogmático con la terminología, soy consciente de que a ese nuevo nivel evolutivo cada uno le ha llamado de muchas formas distintas, así, en todos los libros que habréis leído o cosas que habréis escuchado por ahí se han referido a este cambio como el "paso a la cuarta densidad", "cambio a la quinta dimensión", "cambio de nivel evolutivo", "cambio de nivel de consciencia", "salto cuántico", etc., etc.

El concepto, lo llamemos como lo llamemos, es que dentro de la octava que rige el progreso evolutivo de la Tierra, y de su ser, Kumar, existen "bandas" o "saltos frecuenciales" y evolutivos que lo llevan, en espiral ascendente, de un grado o estado a otro. Además, nuestro planeta depende obviamente de todo lo que suceda a nivel del sistema solar al que pertenece y este sistema solar nuestro, además, depende de lo que sucede en sistemas solares mayores a los que pertenecemos también.

Cuando se producen movimientos concatenados entre sistema planetarios, en este caso dentro del sistema de Alción al que pertenece nuestro sistema solar, para ir avanzando todos los sistemas dependen de todos, y todos necesitan de que cada parte de la estructura del sistema regido por la estrella que llamamos Alción esté sincronizada a una frecuencia determinada para facilitar que la vida consciente en esos sistemas, y, en menor medida la consciencia del Logos que lo rige, siga adelante en su camino. No se considera aceptable, por parte de muchas razas y grupos, que todo el sistema de vida que está regido por el logos de la constelación de las Pléyades tenga que retrasarse (que podría hacerlo), solo porque uno de los planetas limítrofes del sistema solar, la Tierra, está eones, digámoslo así, retrasada respecto a la nota de la octava que le tocaría estar para ir en armonía con todo el conjunto.

Además, nuestro sistema de vida en la Tierra, y esto ya lo sabéis, genera una inestabilidad enorme en otros sistemas por la carga energética tan negativa que posee, así que, visto desde el punto de vista del bien mayor de otros muchos grupos y razas, no es deseado, ni aconsejable, retrasar más el proceso evolutivo del planeta. Así que, por eso no hay tiempo ya que perder para mover a la humanidad que esté lista a un nuevo nivel evolutivo, ya no solo por Kumar/Gaia/Madre Tierra, nuestro logos, que si fuera por él mismo en un entorno aislado no tendría problema en parar o retrasar su octava, sino por el resto de sistemas que dependen del logos de las Pléyades. Ahora mismo, la última órbita de Alción a la que pertenecemos tiene que subir en espiral una octava, lo que es lo mismo que decir que todo nuestro sistema solar tiene que subir una octava, y todos los sistema planetarios de nuestro sistema solar ya lo han hecho, solo la Tierra está pendiente de ello.

## Una realidad 3D en un entorno evolutivo superior

Sin embargo, nuestra realidad humana dista mucho de ser y reflejar ese entorno evolutivo-energético que la

Tierra necesita manifestar para ese salto de consciencia. ¿Cómo es esto? Básicamente porque la humanidad en su conjunto, no ha llegado ni de lejos al nivel mínimo requerido para ello, y, como solución a este "dilema", nuestra realidad, nuestras "*matrix*" (las dos principales que existen, ahora lo explicamos) se han convertido en dos "burbujas holocuánticas" que, dentro del planeta, nos mantienen en un sustrato "3D", dando lugar a una realidad que se mantiene tal y como está hasta ahora, y a otra que permite el cambio de nivel evolutivo para aquellos anclados a ella.

## La realidad 7,8 Hz y la realidad 15,6 Hz

Todos sabéis que la frecuencia de resonancia Schumann base de la realidad 3D durante mucho tiempo ha sido de 7,82 Hz, que ha marcado la realidad común que todos compartimos, la realidad consensuada, producto de la suma de todas las realidades individuales de las personas del planeta. Esta realidad ha sido y ha estado siempre guiada, dirigida, y manipulada por un profundo, potente y complicado sistema de control que hemos estudiado en este libro. Con la entrada paulatina de nuestro planeta en otras bandas de la galaxia con otros componentes vibracionales, la frecuencia base empezó a aumentar, así como el nivel de consciencia de la raza humana, haciendo que la realidad 3D 7,8 Hz fuera pasando a una realidad base de 8Hz, de 9Hz, de 10Hz, etc., creciendo en vibración, y aumentando así, poco a poco, a lo largo de las últimas décadas.

Por otro lado, se ha ido consolidando y construyendo otro tipo de realidad y estructura, una nueva "Matrix", que ha ido poco a poco "anclándose" a la actual, y cuya frecuencia base es de 15,6Hz, el doble que la anterior, pues se encuentra una octava por encima, y que será la "*matrix*" (el sistema de vida) futura para aquellas personas que, por su trabajo interior, crecimiento y expansión de consciencia, irán entrando en el futuro en una nueva realidad consensuada más elevada, en todos los sentidos, y acorde a un nuevo modelo de existencia para todos nosotros, basado en reglas del juego más alineadas con los verdaderos valores humanos y menos dependiente. Aun así, todo esto, dentro de un entorno 3D para el ser humano.

¿Qué sucede con estas dos realidades actualmente? ¿Se solapan? ¿Interfieren? Actualmente las dos coexisten codo con codo excepto en el plano físico. Es decir, hay una estructura causal, mental y etérica completamente separada para cada una de las dos realidades y ambas comparten un único plano "sólido".

¿Por qué ha sucedido esto? La necesidad de crear dos estructuras evolutivas independientes surgió como iniciativa "planetaria" ante la imposibilidad de desmontar todo el sistema que hemos visto y poder cambiar la estructura actual para convertirla en la estructura necesaria para el siguiente "nivel evolutivo". Por lo tanto, se inició hace ya más de cuatro décadas, la construcción de una nueva "escuela" encima de la actual, una octava por encima, que es la frecuencia base que tendría que tener la Tierra para poder seguir adelante en el proceso de crecimiento por el que debe transitar, y los seres humanos con ella. De esta manera, se decidió que era mejor mover a la humanidad a la "nueva escuela" en vez invertir recursos en "cambiar" la actual, que posee unas estructuras muy negativas, densas y complicadas de modificar debido, precisamente, a todo el sistema de gestión y control que hemos explicado. Así, básicamente, la premisa es mover a los alumnos, en vez de cambiar las estructuras actuales.

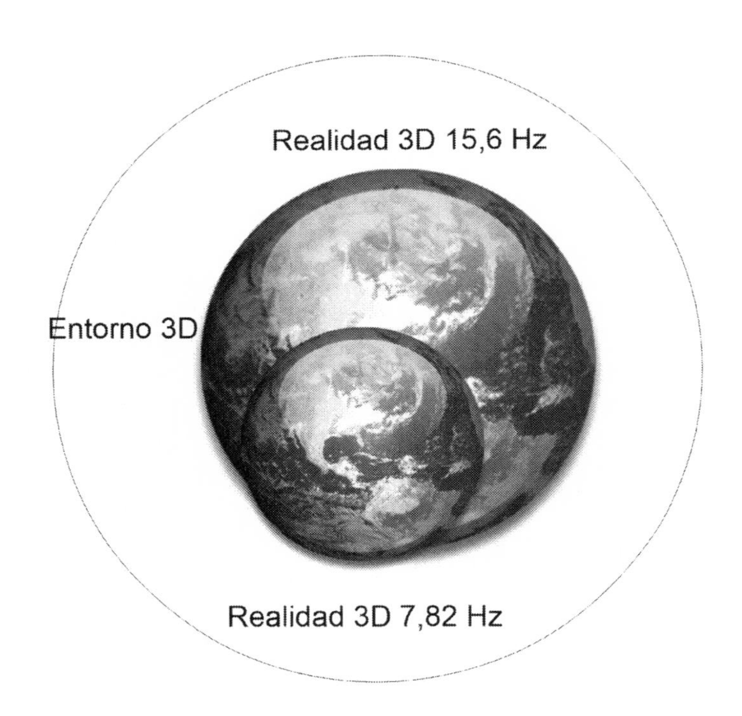


No se podía hacer de ninguna otra forma ya que hemos dicho que el planeta es co-dependiente de otras esferas planetarias en un entramado energético donde lo que puede pasar en uno de ellos afecta al resto. Ya hemos comentado que nuestro sistema solar está regido por un sistema estelar mayor, en este caso, nuestra estrella depende a nivel "metafísico", "energético", "cíclico" y evolutivo de Alción, el nombre que le damos al sistema central de la constelación de las Pléyades. Por lo tanto, todos los sistemas solares, y son muchos, que se encuentran a nivel energético enlazados bajo este punto central de referencia, son interdependientes unos con otros y, por lo tanto, como si fuera un enorme dominó cósmico, lo que pasa en una ficha (planeta) cuando "cae" afecta no solo al sistema solar al que pertenece, sino a todo el dominó (conjunto de todos los sistemas planetarios dentro del mismo macro sistema estelar- el de Alción).

De esta manera, cada planeta dentro de esta cadena no puede elegir que ritmo llevar, cuando moverse de una octava a otra, cuando hacer un salto "frecuencial" o cuando no hacerlo, o, en todo caso, solo hasta cierto punto, pues hay unos márgenes que le permiten retrasarse un poco si es necesario, como en nuestro caso, pero, en general, simplemente le toca cuando le toca igual que una ficha de dominó no puede caer cuando quiera sino cuando la dinámica de la ficha que tiene anterior recibe el empujón y la fuerza para caer sobre ella y esta a su vez genera el movimiento para caer e influenciar a la siguiente. Cuando esto ocurre, y es lo que viene ocurriendo desde siempre, y es lo que está ocurriendo ahora, las dinámicas planetarias de cambio de nivel deben ser ejecutadas por sus logos (las almas-consciencias que rigen esos cuerpos planetarios) para no dañar o retrasar o crear desarmonía en el resto de la cadena.

En el punto en el que estamos ahora, la Tierra está recibiendo la influencia de los flujos y energías que la fuerzan a cambiar, haciendo que, a su vez, el cambio de la Tierra influencie a otros sistemas planetarios que necesitan nuestro paso de una estructura a otra para aprovechar la inercia generada entre los campos electromagnéticos de los planetas para poder, a su vez, seguir avanzando. Los tiempos de cambio son muy amplios desde el punto de vista humano, y se pueden entender como "ventanas" de paso dentro de la octava para la estructura de la Tierra, no como algo que sucede en un día y te levantas y de repente la realidad de tu planeta es otra y todos hemos "*ascendido*". No funciona así, puede que para niveles muy elevados de nuestra galaxia un cambio de estas características sea un parpadeo cósmico, pero para nuestro planeta es un proceso de décadas y aún nos quedan al menos dos para que se complete.

¿Cómo se calcula esto? Se calcula, o mejor dicho, lo calculan los Yo Superiores que encarnan en la Tierra junto con Kumar, como se autodenomina el alma planetaria, según la velocidad de modificación de las estructuras de todo el planeta dentro de la octava de cambio. Es decir, si el cambio evolutivo se inicia en un DO, hasta que no llegue al siguiente "DO" de la siguiente octava no se puede considerar que nuestro planeta ha completado el proceso de salto frecuencial.

Como ahora la construcción de la nueva "matrix", la nueva realidad, se encuentra en la nota RE# de ese cambio, según la estimación de los YS que están, estamos, encarnando aquí, y según la velocidad de cambio que se ha llevado hasta ahora, se estima que aún tenemos unos 20 años hasta que lleguemos a la solidificación total del plano físico de esa nueva Matrix 15,6Hz en el "DO" final. Espero que se entienda.

## Dos líneas temporales, la #33 y la #42

Como creo que todos ya sabéis, y hemos explicado, no hay forma de parar el cambio evolutivo en el que estamos involucrados. La posibilidad que existía en el pasado de que se consiguiera evitar esto, fuera pequeña o grande, es inexistente en estos momentos, así que estamos abocados sin freno a un cambio de realidad, un cambio de nivel evolutivo, frecuencial, de vida, etc. El cambio de realidad se produce por la conexión con la línea temporal numerada como la LT42, y es esta la que nos conduce a ese salto y cambio de matrix que acabamos de explicar.

Antes de continuar, debemos explicar un poco mejor el tema de las líneas temporales.

## ¿Qué son las líneas temporales?

Una línea temporal, para entendernos, es una sucesión de eventos medida desde la percepción lineal que tenemos del tiempo, así, aunque no sea del todo correcto, nosotros percibimos el flujo del tiempo llegando desde nuestro pasado, al presente, y hacia el futuro. De este modo, al igual que hay líneas temporales individuales para cada persona, que marcan y contienen todo lo que nos ha pasado, nos está pasando y nos pasará, existen líneas macro para la humanidad que recogen los eventos que hemos vivido, los que estamos viviendo y los que tenemos por delante.

Así, la sucesión de eventos percibida como lineal que tienes de tu vida es lo que llamamos tu línea temporal personal. Se inició cuando naciste, y se terminará cuando fallezcas. Tu línea temporal personal tiene múltiples ramificaciones y desvíos posibles, pues la toma de decisiones según tu percepción de la situación en el momento de una ramificación, te llevará por un ramal u otro de tu trama sagrada, a una alternativa u otra, y tu línea temporal irá ajustándose dentro de unos parámetros más o menos restringidos dependiendo de tu nivel evolutivo y de conciencia, que son los que marcan que tengas más opciones o menos, en tu particular abanico de decisiones, por ser capaz de percibir y comprender más alternativas, o menos, de las que tienes delante.

Tu línea temporal personal tiene una energía que se desplaza, para nuestra percepción, desde nuestro pasado, hacía nuestro futuro, y solo en determinados puntos de inflexión de esa energía, aparecen momentos clave, en los cuales puedes cambiar la dirección de tu vida. No siempre se puede, y esto está determinado por el proceso y las reglas que rigen el movimiento y manifestación de todos los procesos energéticos, y que es llamada la ley de las octavas. Por esa razón, a veces, avanzas por la vida sin poder hacer nada por salir de la dirección y cauce que llevas, y, a veces, encuentras puntos y momentos clave donde se manifiestan las opciones para modificar tu trayectoria.

Cada persona, pues, tiene una línea temporal propia, y todos nos movemos por ella, cada uno manifestando las circunstancias particulares de su vida según sus acciones, y la ley de causa y efecto, ya que, a menos que seas muy consciente de cada paso que das, de cada acción que ejecutas, la mayoría de nosotros, por ir dentro del cauce energético que representa nuestra propia línea temporal de eventos, nos encontramos mañana lo que pusimos en marcha ayer, sin saber que lo habíamos hecho. El ser humano, en general, vive su vida solo mediante la ley de la causalidad, es decir, dejando que le pasen las cosas, al no ser consciente de que el mismo genera causas que podría evitar, o deja de generar cosas cuando podrían serle beneficiosas para manifestar un efecto futuro, en su misma línea de tiempo. Solo una persona "altamente despierta" y "autoconsciente" de sus actos, puede gestionar y escapar, sino total, al menos parcialmente, de vivir una vida bajo la ley pura de la causalidad. En este caso, entonces, puedes imaginar tu línea temporal como un cable ondulante, que se va recorriendo de principio a fin, según tu conciencia avanza por tu percepción temporal de cómo los acontecimientos se suceden unos detrás de otros.

Cada línea temporal personal tiene componentes frecuenciales y vibratorios, pues al no ser más que energía, "vibran" de una forma determinada. Imaginemos que esta vibración la representamos por un color, dando lugar a gente cuyo cable, por sus características frecuenciales, sería de color azulado, otros, de color verdoso, otros marrón, otros blanco, otro negro, etc. No estoy asociando estos colores con nada, ni auras, ni chakras, ni planos dimensionales, etc., etc., solo es un ejemplo de cómo podríamos percibir la vibración de cada línea individual si pudiéramos verlas desde fuera de nuestra matrix espacio-temporal.

Pues bien, por el principio de atracción de la energía, todas aquellas personas que tuvieran una línea temporal y vibración de un color parecido, estarían resonando cerca las unas de las otras, agrupadas, por colorines. Así, veríamos por un lado un grupo de cables azules (personas con una vibración, nivel evolutivo, conciencia y frecuencia de resonancia parecida) avanzar en una misma dirección, con sus líneas temporales entrelazadas entre sí, dando lugar a que esas personas se crucen unos en las vidas de otros, les sucedan cosas juntas, etc.

Lo mismo pasaría con todas las personas cuyo cable fuera de color verde, o de color marrón, estarían más o menos juntas por frecuencia de resonancia y todas tendrían, más o menos, un "futuro" común al que van avanzando en paralelo, ya que todas resuenan con el mismo tipo de eventos probables y todas los manifiestan, en menor o mayor grado, en sus respectivas líneas temporales individuales.

Cuando personas con mismos gustos, intereses, nivel evolutivo, objetivos comunes, etc., conviven, evolucionan y avanzan por la vida en paralelo, sus líneas temporales se entrelazan, y, a no ser que una de esas personas, en los puntos de inflexión propios de su línea temporal decida cambiar el rumbo de su vida, seguirá normalmente por la misma línea temporal grupal a la que pertenece, ya que su zona de confort le mantiene en la manifestación de eventos en su vida acorde a lo que emite por la ley de la causalidad propia, y ahora, además, de aquellos con los que comparte camino evolutivo, que, por decirlo de alguna manera, se ayudan unos a otros a mantener "el ganado encauzado" para que ninguna oveja se disperse. Es por ello que, en la mayoría de los casos, los mayores obstáculos para hacer grandes cambios en nuestra vida son las mismas personas con las que la compartimos, ya que, eso implica, y lo saben a nivel subconsciente, alteraciones en el cauce común donde se van a ver salpicadas y afectadas.

Entonces, si tenemos líneas temporales grupales, que pueden ser de dos personas o de dos millones, ¿existe una línea única para todos nosotros? Ha existido, o, podríamos decir, que antes del proceso de separación tan claro en dos macro-realidades o dos "matrix" que hemos mencionado siempre ha habido varias macro líneas temporales para la humanidad, que abarcaban la suma de todas las realidades posibles de cada uno de los seres humanos y nuestros potenciales futuros. Esas líneas temporales globales son las líneas que conforman los límites de las líneas individuales, como si al entrelazado de 7.500 millones de cables (uno por persona) le ponemos una funda blanca de plástico alrededor, de forma que, ahora, la línea temporal de lo que suceda a escala macro planetaria es la marcada por la "funda" blanca, y todo el margen de eventos que están disponibles para las líneas individuales no puede nunca sobrepasar o salir del margen de acción que marque la línea temporal global, que marca la realidad acotada para la raza humana.

Para la gestión del planeta, aquellos que lo dirigen, siempre han mantenido a las líneas temporales principales a nivel global bajo control, manipulándolas a escala macro, accionando en puntos concretos de inflexión a nivel de escala planetaria, (por ejemplo con acciones y sucesos que afectan a toda la población, sea directamente o por reverberación), de forma que ninguna realidad o línea temporal individual pudiera escapar del control. Puesto que esto no es fácil, porque desde dentro del tubo blanco, millones de personas luchan contra este mismo sistema de manipulación, es un tira y afloja constante entre los cables de colores del interior que luchan por acomodar la dirección, vibración, frecuencia, etc. de la funda blanca que los envuelve, y los que tratan (desde fuera o desde dentro) de mantener la misma funda comprimida, restringida y acotada. A veces ganan unos y a veces ganan otros. A veces se ha conseguido mover la línea temporal primaria de la humanidad hacia un futuro "X" más positivo, y a veces se ha desviado de nuevo para apuntar a un futuro "Y" no tanto (para los cables de dentro, las personas). De ahí el juego constante entre las polaridades, los que nos gobiernan, los que nos apoyan, los que accionamos desde dentro, etc., etc.

## Líneas temporales de paso a la matrix 15,6 Hz

Entonces, entendido el concepto de línea temporal, vamos a explicar que ahora, básicamente solo hay dos macro líneas que marcan el destino de la humanidad (con sub-líneas temporales micro dentro de cada una de ellas). A nosotros lo que nos interesa es ¿cómo se pasa de la realidad actual a la futura "Tierra" de cambio evolutivo? Es decir, ¿cómo funciona el mecanismo de cambio de nivel, de paso a la "nueva Tierra"?

Para pasar de "realidad", de una "matrix 3D 7,8Hz" a la otra de 15,6Hz, hay solo un camino, la llamada línea temporal 42. De hecho, en el planeta, como hemos mencionado hay en estos momentos solo dos grandes líneas temporales, una línea temporal que te mantiene en un bucle en la realidad 7,8 Hz (o en la frecuencia base que ahora tenga) y que se ha llamado la línea temporal #33 y otra llamada la línea 42. La primera, la línea 33, es la que la élite, el sistema de gestión humana y los poderes en control de los que hemos hablado, procuran mantener, ampliar y potenciar para que el máximo número de personas se encuentre, se mantenga y viva permanentemente en ella.

## ¿Cómo se miden y se numeran las líneas temporales?

*«Cuarenta y dos,» dijo Pensamiento Profundo con infinita majestuosidad y calma. La Respuesta a la Gran Pregunta de la Vida, el Universo, y Todo lo Demás.*

Con estas dos frases Douglas Adams convertía a un sencillo número en una de las piezas fundamentales de *La Guía del Autoestopista Galáctico*, una novela y película que ha hecho las delicias de muchos fans de la “ciencia-ficción”.

Una de las preguntas más recurridas desde que llevamos, ya hace años, estudiando las líneas temporales, es quién o qué les ha puesto esos números que usamos para identificarlas y cómo podemos definir o medir la vibración, o las características energéticas, o el estado de una línea temporal respecto a la otra. Vamos con el origen de la numeración que usamos para identificar la línea negativa, el número #33, y la numeración de la línea de cambio evolutivo, la #42.

En el plano mental de nuestro planeta, que es la base para los carriles de energía que luego dan lugar a las manifestaciones de los eventos que corren por una línea temporal u otra, los eventos son percibidos y existen de forma simultánea, es decir, todo está sucediendo a la vez. Sin embargo, esto no es así cuando esos eventos tienen que “caer”, energéticamente hablando, hacia los planos etéricos y físicos, que son los dos planos “densos” que dan soporte a la estructura de nuestra realidad “tangible”.

Para que todos los eventos que están en el plano mental, "bajen" a nivel físico, tienen que pasar por alguno de los carriles que atraviesan esos planos, del mental al etérico, ambos sostenidos por el campo astral, y de ahí al físico. Esos carriles tienen números, para poder ser protegidos, modificados, estructurados, etc., por las jerarquías y seres que de ello se encargan, y esos números están asignados por orden de apertura de los carriles y por la posición de los mismos dentro de la estructura del plano mental.

Si el plano mental fuera un tablero de ajedrez, a cada casilla le pondríamos un número acorde a la posición que le toca según la fila y la columna en la que se encuentre. Así, cada carril que desde el plano mental baja hacia los planos inferiores tiene un número acorde a la posición de nacimiento de ese carril en ese tablero energético. El plano mental, como tal, no es una masa difusa de energía o un campo aleatorio de la misma, sino que posee una estructura tremendamente detallada, ordenada, cuadriculada y precisa, donde todo tiene una posición, unas coordenadas y una función.

Así, diferentes carriles y canales energéticos que han ido dando lugar a diferentes líneas temporales han ido colapsando y compactándose en la posición que corresponde a la "coordenada 42" de la estructura del plano mental para la línea temporal positiva, mientras que otras líneas temporales se han ido colapsando en la posición del tablero mental que corresponde al punto 33 de esa misma estructura. En total, habría muchas posibles "macro-posiciones" de las cuales podrían partir, en teoría, diferentes macro líneas temporales, y de hecho, salen muchas más del plano mental que dan soporte a diferentes necesidades evolutivas en el planeta, pero, para el ser humano, para su inconsciente colectivo, que al final es lo que se mueve por uno de esos dos carriles, solo tenemos dos macro líneas: o estamos circulando por el carril que, del plano mental al físico, nace de la posición 33, o por el carril que nace de la posición 42.

¿Por qué no han colapsado las líneas en otras casillas o posiciones del plano mental? Porque cada casilla tiene su propia vibración, energía, etc., y por resonancia y por "atracción", todos los eventos de la humanidad que tienden hacia el lado "negativo" (genérico y simbólico, no es tan sencillo) se atraen y colapsan en la 33, y todos los "positivos" se atraen y colapsan en la 42. Otra línea en el planeta con cierta relevancia es la línea 44, que es la línea temporal que rige la evolución de animales y plantas, fuera de la influencia de las líneas humanas. Que sea un número mayor no significa automáticamente que sea más positiva, sino que nace desde otra posición en el plano mental para bajar hasta el etérico y físico. Así, los eventos y el destino de la raza humana no afectará al destino de la biosfera del planeta, que seguirá adelante tanto nos destruyamos nosotros mismos o demos un salto de nivel evolutivo.

## ¿Cómo hemos llegado a tener solo dos macro futuros temporales para la humanidad?

Ahora que sabemos de dónde salen los números ¿Por qué hay solo dos? La respuesta es que debido a los macro cambios sucedidos desde hace ya varios años, toda la estructura energética de la Tierra ha ido cambiando, ajustándose y modificándose, haciendo que, finalmente, hayan resultado dos macro líneas temporales que han ido "engullendo" a todas las demás. En un extremo se han ido colapsando y atrayendo entre si todas las posibilidades evolutivas asociadas a un cambio de nivel de consciencia y realidad para el ser humano, y, por otro lado, se han ido consolidando y compactando entre si todas las posibilidades de todo lo contrario, un mundo de mayor caos, negatividad, posibilidades nulas de crecimiento, etc. Todo eso ha dado lugar, desde hace unos años, a solo dos escenarios macro: el escenario "*positivo y de crecimiento evolutivo*" y el escenario "*negativo y de todo a peor*".

A la primera línea, como hemos comentado, se la denomina la **línea #42** y a la segunda línea se la denomina la **línea #33**. Así, el camino que lleva a un cambio de *matrix* directo es la línea temporal línea #42. Esta línea es la que las fuerzas, internas y exoplanetarias, que apoyan los procesos evolutivos y de crecimiento de la raza humana están tratando de potenciar, de ampliar, de afianzar. Todos los esfuerzos actuales de todos los que están/estamos/estáis trabajando por este cambio evolutivo están puestos en que, sin violar el libre albedrío de nadie, aquellos dispuestos a trabajar en ellos mismos tengan las herramientas, información, y posibilidades de llegar a moverse a la línea 42 y luego a vivir sintonizados lo máximo posible con la nueva matrix, preludio en algún momento del cambio evolutivo definitivo, en otro ciclo experiencial que está por venir.

Ahora mismo a nivel individual, todos los esfuerzos están destinados a que cada persona alcance el nivel necesario para equilibrar su triada físico-emocional-mental, a que complete sus lecciones y aprendizajes, a que sane y suelte lastre, carga y miedos de su mochila, a que cierre y complete sus procesos y octavas en marcha, etc. Nuestro Yo Superior está detonando en nuestra personalidad y vivencias terrenales todo lo necesario para ello, aunque eso suponga poner nuestra vida patas arriba en ciertos momentos. Todo tiene sentido y un propósito, aunque, a veces, desde la percepción limitada de nuestro estado de consciencia actual no podamos ver más allá de los efectos que vivimos, sin conocer las causas ni los movimientos macro que los generan. Todo está en orden, y todo va como tiene que ir, esperando a que completemos los pasos para poder ir cerrando etapas en esta transición, larga en términos humanos, pero profunda y necesaria en términos evolutivos y existenciales para nuestro devenir como especie responsable de su propio destino.

Finalmente ¿Qué es lo que determina en qué línea temporal nos encontramos? Pues únicamente lo determina la frecuencia de vibración de las partículas de nuestra estructura energética, desde el cuerpo físico hasta el alma, de manera que, dependiendo del nivel frecuencial de cada uno de nuestros cuerpos y componentes sutiles, nos encontramos resonando con una línea temporal u otra.

Para comprender esto, imaginaros las dos líneas temporales como dos carreteras separadas, y cada coche que circula por ellas como una persona. Cuando una persona conduce por la carretera que representa la línea 33, lo que percibe y ve en su carril, son solo todos los accidentes, atascos, y problemas que hay en su carretera, que es la más negativa y densa de las dos. Cuando una persona de la línea-carretera #33 cambia de carril dentro de la línea #33, y se aproxima a los carriles más cercanos a la línea 42, empieza a notar la atracción de esta, y puede, en diferentes puntos que las conectan, pasarse de carretera y entonces empezar a circular por la carretera de la línea temporal 42.

La diferencia es que, en esta carretera, se circula mucho mejor, hay muchos menos atascos, no hay tanta congestión ni problemas a lo largo de las vías, etc. Dicho de otra manera, la realidad individual de cada persona viene marcada por la línea temporal de eventos a la que está sintonizada con su estructura energética, de forma que, para algunas personas, todo empieza a ir "mejor" al estar conectados con energías, realidades y frecuencias más altas, dentro de la línea temporal 42, y para otras, todo va igual o peor, pues siguen conectadas a la línea temporal actual, de la realidad de siempre, de la matrix 7,8Hz y que se mantiene en bucle cerrado sin posibilidad de alcanzar en su “futuro”, el nivel evolutivo de la “nueva Tierra” o la nueva matrix.

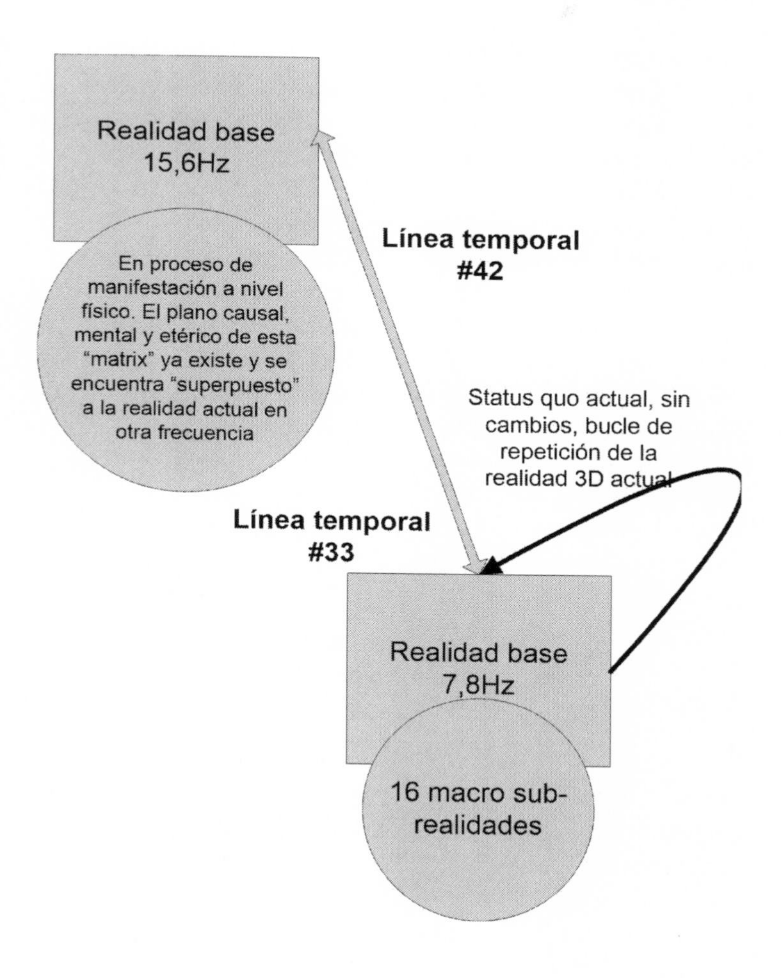

## Separación de líneas temporales

Además de la separación de seres humanos según la línea temporal en la que "vibran", para facilitar que aquellas personas que estén más o menos encaminadas, y más o menos sintonizadas con alguna de las diferentes sub-realidades de la línea temporal #42, puedan seguir avanzando y cogiendo el ritmo de la octava planetaria y puedan dar el salto evolutivo cuando esté listo el proceso de paso para el mismo, lo que se ha hecho es separar energéticamente las dos líneas al máximo: la #33, dejándola al ritmo y velocidad que marquen ya las personas conectadas a ella (recordemos que esta línea temporal es la más densa, y negativa, y la que nos mantiene, de alguna forma, en el estado actual bajo el que vivimos, con un sistema de control bajo supervisión y gestión de diferentes razas y "élites"), de manera que se ha reajustado la línea #42 a la nueva ubicación dentro de la octava planetaria, para que "coja el ritmo de nuevo", y se sincronice con la posición que le tocaría llevar a la humanidad en estos momentos para seguir el ritmo del planeta con vistas al cambio evolutivo.

# Un blindaje a la línea 42 y cierre de líneas

Con esta separación de ambos carriles, completa al 100%, se ha blindado uno de ellos, la línea temporal 42, que en estos momentos se encuentra "cerrada", de forma que los "intentos de bajarnos" de la 33, y su poder de atracción ya no representan un problema para aquellos circulando por la carretera de esta línea temporal, más elevada en frecuencia, que tiene como destino la realidad que denominamos la *"matrix 15,6Hz"*, o como muchas otras personas llaman: *"la nueva Tierra"*, y nombres similares. Al blindarse esta línea temporal, separarla de la 33 y colocar bloqueos entre ambas, se facilita a una parte de la humanidad, que ya ha hecho parte de este trabajo de sintonización y crecimiento evolutivo, que pueda seguir adelante con el mismo sin que los procesos y eventos de la realidad más compleja que actualmente co-existe en el planeta les influyan tanto.

Una vez más, estos procesos se producen energéticamente hablando, así que no va a desaparecer de repente del planeta una parte de la población, no va por ahí la cosa. La separación de líneas temporales separa los sucesos, vivencias, eventos y situaciones por los que las personas pasamos en nuestros caminos de crecimiento. Los que están conectados a una línea más rápida, vibracionalmente hablando, se acercan un poco más, de alguna forma, a vivir en algo parecido al concepto de pronoia. Los que están conectados a una línea más negativa, se acercan a vivir en un concepto más cercano a que todo les sea más difícil, complejo y complicado para ellos.

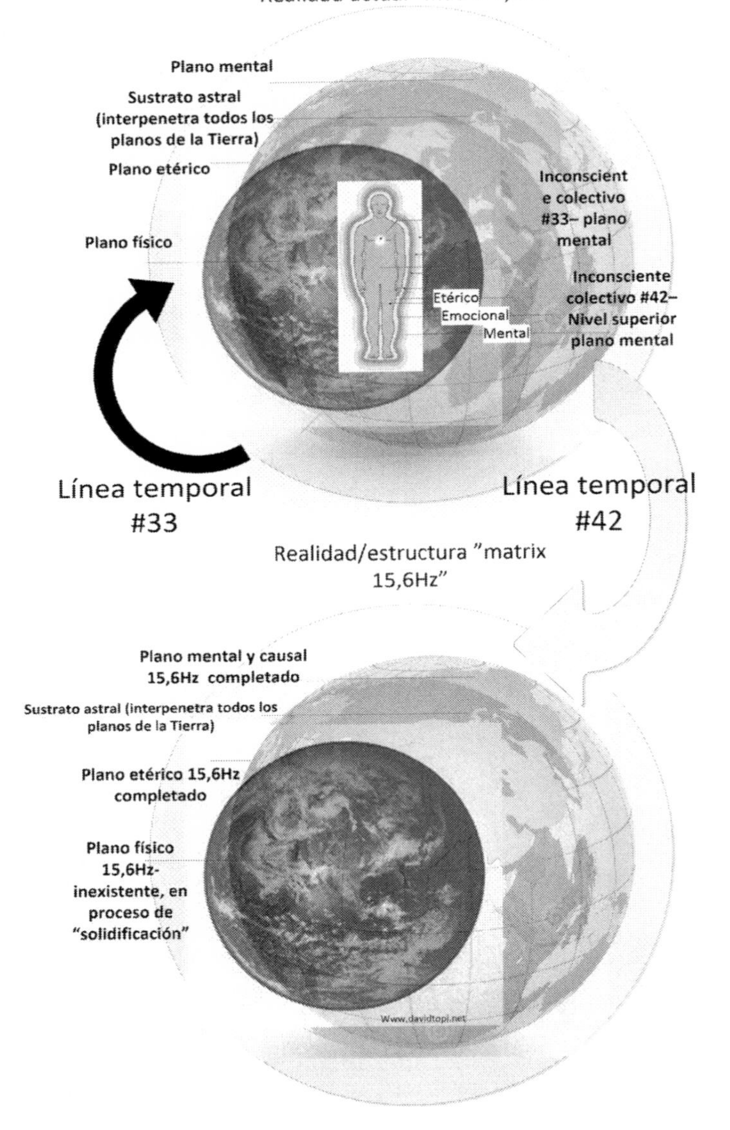
Realidad actual "matrix 7,8Hz"
Plano mental
Sustrato astral (interpenetra todos los planos de la Tierra)
Plano etérico
Plano físico
Inconsciente colectivo #33– plano mental
Inconsciente colectivo #42– Nivel superior plano mental
Etérico
Emocional
Mental
Línea temporal #33
Línea temporal #42
Realidad/estructura "matrix 15,6Hz"
Plano mental y causal 15,6Hz completado
Sustrato astral (interpenetra todos los planos de la Tierra)
Plano etérico 15,6Hz completado
Plano físico 15,6Hz- inexistente, en proceso de "solidificación"
Www.davidtopi.net

Así, resumiendo todo lo anterior, podemos ver que nuestro planeta está sufriendo enormes cambios relacionados con el proceso de paso evolutivo del que todos hemos oído hablar a lo largo de las últimas décadas y cuyos puntos principales son los siguientes:

- La consciencia-alma de la Tierra está creando una nueva estructura en todos sus planos porque le toca, para poder sostener otros procesos evolutivos y otros niveles de consciencia y energía. Para nosotros, esta estructura la hemos denominado la *matrix 15, 6Hz* por la vibración base que tiene (el equivalente a la resonancia de Schumann).
- Ya existe una estructura causal, mental y etérica para esa nueva "realidad".
- El proceso que falta para completar la estructura al 100% es la materialización y solidificación de una realidad "tangible" equivalente en todos los sentidos a la realidad física y material que poseemos ahora pero en una frecuencia base que es el doble de la frecuencia base estándar para nuestra realidad actual.
- Las personas que se encuentren en el camino de cambio de una realidad a otra, de un nivel evolutivo a otro, tendrán que ajustar, están ajustando ya, su estructura causal, mental, emocional y etérica a las nuevas frecuencias, cuyo primer paso es el anclaje a la línea temporal 42.
- El cuerpo físico y orgánico de momento se mantiene en la realidad actual de 7,8Hz (o la vibración que tenga en estos momentos) aunque la parte energética del mismo cuerpo físico también se encuentra sintonizado en la línea temporal 42 que veremos ahora, listo para poder "anclarse" a la futura realidad "sólida" de 15,6 Hz cuando esta esté "lista".

- Estos cambios se producen en paralelo con la estructura actual del planeta, para aquellos en la línea 33 no cambia nada, de manera que siguen conectados a la estructura mental 7,8Hz, a la estructura etérica de la realidad actual y a la estructura física que ahora es la única que existe.

Así, lo que estamos viendo es que la salida de este enorme rompecabezas que supone la realidad actual pasa por el cambio de "matrix", por el paso de nivel evolutivo, y por la sintonización con la línea temporal 42 y con las últimas octavas o niveles de la línea temporal 33, pues desde ahí también habrá oportunidad de salir de este juego en el futuro. Los niveles inferiores de la línea 33, dominados por todo el sistema de control y gestión de la humanidad que hemos explicado, quedarán atrás, terminarán desapareciendo, porque la humanidad se habrá ido moviendo hacia niveles evolutivos superiores, y será como dejar una "ciudad vacía", sin importar como haya quedado esta, pero sin ningún valor ya para nadie, porque se está construyendo una ciudad nueva, superpuesta a la actual, en otra frecuencia, a la que tenemos que llegar por nuestro trabajo interior, lo cual quiere decir que en los años que nos quedan por delante, hay que adecuar nuestro sistema energético a los niveles frecuenciales de la nueva realidad a la que queremos transitar. Os invito a pasaros por el enorme repositorio de información actualizada que vamos publicando en mi blog, davidtopi.net, para que siempre veáis el estado actual de proceso evolutivo que estamos viviendo, tal y como yo lo percibo a través de la conexión con mi Yo Superior y con aquellas fuerzas, guías y seres que nos asisten en el mismo.

Es la única manera, para completar el juego hay que salir del mismo, pues ya no tiene sentido seguir jugando en el tablero actual. Y para ello solo tenemos que trabajar en nosotros, como hemos hecho y dicho siempre, aunque ahora mucho más en serio porque la "nueva escuela" está casi casi completada, y está esperando a que los alumnos empiecen a llegar a la misma para iniciar un nuevo ciclo evolutivo que nos llevará a donde nunca hemos ni imaginado. Lo mejor está aún por venir, pongámonos las pilas para ello y no dejemos de trabajar por el cambio.

La forma de hacerlo es a través de la sanación, la desprogramación, la eliminación de todo tipo de componentes y bloqueos energéticos presentes en nosotros, que son los que lastran la frecuencia de vibración y resonancia que poseemos. Por lo tanto, lo único que en estos momentos es importante para participar en el paso de nivel evolutivo es dedicarse a elevar todas y cada una de las partículas energéticas de nuestra estructura de cuerpos sutiles hacia un nivel vibracional mayor, y a partir de aquí, empezar el camino que nos ha de llevar hacia un nuevo curso evolutivo.

Iremos hablando y explicando paso a paso como recorrerlo en los artículos del blog y en las nuevas publicaciones, pues ahora justo recién se inicia este camino.

Que disfrutes del tuyo.

David Topí

Barcelona, enero de 2013

Primera revisión y actualización completa, octubre de 2013
Segunda revisión y actualización, Mayo de 2015
Tercera revisión y actualización, Febrero 2019

# Sobre el autor

*No se puede forzar a nadie a que crezca, despierte, evolucione o aprenda, sin violar su libre albedrío. Solo se pueden ofrecer herramientas, conocimientos y apoyo para que cada uno tome las riendas de su vida y decida qué hacer con su camino evolutivo.*

David Topí, ingeniero de profesión, actualmente es un polifacético escritor, formador y terapeuta. Trabaja especialmente en divulgar, formar y acompañar a personas a través de procesos de desarrollo personal y espiritual, así como terapeuta de sanaciones energéticas, usando la técnica de Sanación Akashica.

Ha creado la Escuela de Metafísica y Desarrollo Transpersonal (EMEDT) con la intención de proporcionar un marco organizado y coherente para impartir toda aquella información, técnicas, herramientas y conocimientos que sean necesarios para la potenciación del crecimiento personal y la transformación de la realidad personal del individuo, que modifiquen a su vez, paso a paso, la realidad global del planeta.

Buscador incansable, se ha formado e interesado por la metafísica, las terapias alternativas, desarrollo de nuestras habilidades "espirituales" innatas y por sistemas de desarrollo personal que permitan al ser humano expresar su máximo potencial y alcanzar respuestas para preguntas escondidas, a veces, muy dentro de nosotros mismos.

Sus artículos y trabajos están publicados en su web www.davidtopi.net

# Libros de David Topí

## 5 pasos para descubrir tu misión en la vida

Un libro para descubrir nuestra misión en la vida, aquello que hemos venido a hacer, y como ponerla de manifiesto en una actividad real profesional. A través de un recorrido y un intenso trabajo interno sobre nuestros talentos, aficiones, gustos y pasiones, habilidades, valores en la vida, características personales, ideales y competencias personales y emocionales, vamos a llegar a encontrar, en cinco grandes pasos, cuál es tu misión en la vida.

## El Yo Interior

Un recorrido para entender el sistema energético humano y como nos auto bloqueamos, para aprender a conectar la mente con el alma a través de la meditación, para desarrollar la habilidad de percibir a nuestro Yo Superior y establecer contacto y canalizar a nuestros guías espirituales.

## El Poder de la Intuición

Como aprender a escuchar al universo, pedirle las señales y potenciar los caminos que nos llevan a la felicidad. Un libro que estudia el poder de la mente para manifestar nuestra realidad cotidiana, y como trabaja el universo para hacernos llegar lo que necesitamos en cada momento, así como comprender lo que es el destino, los eventos marcados antes de nacer y cómo funciona la creación de la realidad en el camino de nuestra propia evolución.

## El Yugo de Orión

El Yugo de Orión es la explicación al enorme rompecabezas que es la vida en nuestro planeta, las estructuras de control de la sociedad impuesta desde hace milenios, la manipulación de las personas a través del inconsciente colectivo y de su potencial co-creador de la realidad, y los diversos actores que se encuentran en la pirámide que maneja los hilos. Sin embargo, es un libro no solo para entender lo que sucede, sino para cambiarlo, pues solo conociendo como están las cosas, podemos aportar soluciones para promover el cambio evolutivo, frecuencial y de conciencia en el que estamos todos metidos.

## La espiral evolutiva

Desde que el hombre es homo sapiens, ha habido un conocimiento del funcionamiento de las leyes que rigen la naturaleza, el Cosmos y la Creación, y ese conocimiento se ha denominado "ocultismo", pues estaba, como bien podéis deducir "oculto". Este libro se adentra en el conocimiento esotérico que nos ayuda a entender la evolución del ser humano, su crecimiento, las leyes que lo rigen, y que rigen todo lo Creado. Desde el núcleo primordial de energía "divina" que somos, hasta los procesos de alquimia personal interior que nos hacen transformarnos en lo que queremos ser. Es, en definitiva, un libro para conocer a fondo la metafísica de nuestro ser, y de nuestra evolución, como individuos, y como especie.

Made in the USA
Middletown, DE
01 September 2020